Niveau débutant

français.com

MÉTHODE DE FRANÇAIS PROFESSIONNEL ET DES AFFAIRES

cahier d'exercices

Jean-Luc Penfornis

CLE
INTERNATIONAL
www.cle-inter.com

Crédits photos :

Toutes les photos sont de l'auteur, sauf : p. 31 ht : © ArtComArt/Gilbert Tourte/Pascal Victor/A – p. 31 bas : © Josef Scaylea / Corbis – p. 41 : © LWA-JDC / Corbis – p. 81 : © Image Source/Corbis.

Édition : Isabelle Walther
Illustrations : Claude-Henri Saunier
Conception graphique: Fernando San Martín
Mise en page : AMG

© CLE International 2011
ISBN : 978-209-038036-1

Sommaire

premiers contacts

1 Premiers mots

A. Vocabulaire

1 Cochez les mots que vous connaissez. Cherchez les autres dans le dictionnaire.

☐ un téléphone   ☐ un collège   ☐ un dialogue
☐ une université   ☐ un hôpital   ☐ un rendez-vous
☐ un café   ☐ un musée   ☐ une télévision
☐ une station de métro ☐ un théâtre   ☐ un aéroport
☐ un train   ☐ une orange   ☐ un agenda
☐ un parc   ☐ une clarinette   ☐ un visa
☐ un nom   ☐ une règle   ☐ une photo
☐ une réponse   ☐ une exception   ☐ un vendeur
☐ une question   ☐ un voyageur   ☐ un mot
☐ un dossier   ☐ un nombre   ☐ une consonne
☐ un article   ☐ un avion   ☐ une voyelle

2 Supprimez l'intrus.

1. une guitare – un piano – ~~un téléphone~~
2. un avion – un hôtel – un restaurant
3. un thé – un dossier– un café
4. une règle – une exception – une action
5. une télévision – un train – un bus
6. un avion – une photo – un aéroport
7. une orange – une banane – une voyelle
8. une voyelle – un passeport – un consonne
9. un cinéma – un hôpital – un théâtre
10. un visa – un passeport – un zéro
11. une photo – une caméra – une fleur
12. un mot – un collège – une université
13. bonjour – valise – au revoir
14. s'il vous plaît – merci – huit
15. madame – monsieur – métro
16. pardon – masculin – féminin
17. singulier – merci – pluriel
18. un euro – un dollar – un nombre
19. une idée – une question – une réponse
20. une moto – une orange – une bicyclette
21. une voiture – un taxi – une cathédrale
22. un ticket – un nom – un article

3 Écrivez en chiffres.

a. dix-sept, deux : *17, 2*

b. trois, quatorze : ....

c. huit, dix-huit, dix : ....

d. seize, onze, treize : ....

4 Écrivez en lettres.

a. 6, 9, 19 : *six, neuf, dix-neuf*

b. 12, 20 : ....

c. 1, 4, 7 : ....

d. 0, 5, 15 : ....

B. Grammaire

5 **Supprimez l'intrus.**

1. un hôpital – un téléphone – une réponse – un dossier – un vendeur – un nombre
2. une question – un agenda – une télévision – une fleur – une photo – une université
3. des musées – des agendas – des mots – des voyelles – des voyageurs – un sport – des taxis

6 **Écrivez au pluriel.**

1. une voiture → *des voitures*
2. un café   → ....
3. une valise → ....

4. un train   → ....
5. une fleur   → ....
6. un bus   → ....

7 **Écrivez au singulier.**

1. des avions → *un avion*
2. des sports → ....
3. des photos → ....

4. des euros   → ....
5. des questions → ....
6. des exceptions → ....

C. Communication

8 **Cochez la bonne réponse.**

1. Qu'est-ce que c'est ?
☐ Au revoir.
☐ Un théâtre.
☐ C'est Paul.

2. Bonjour.
☐ Bonjour.
☐ S'il vous plaît.
☐ Merci.

3. Dix euros, s'il vous plaît.
☐ Voilà un billet de vingt.
☐ Voilà un ticket.
☐ Voilà une valise.

4. « Café », c'est masculin ou féminin ?
☐ C'est pluriel.
☐ C'est singulier.
☐ C'est masculin.

9 **Mettez les répliques dans l'ordre.**

Dialogue 1
☐ **a.** Merci.
☑ **b.** Qu'est-ce que c'est ?
☐ **c.** Pardon ?
☐ **d.** Une trompette.
☐ **e.** Une trompette.

Dialogue 2
☐ **a.** Merci.
☐ **b.** Au revoir.
☐ **c.** Au revoir.
☐ **d.** Deux euros, s'il vous plaît.
☐ **e.** Voilà un… et deux.

Dialogue 3
☐ **a.** Bonjour, monsieur.
☐ **b.** Bonjour, un café, s'il vous plaît.
☐ **c.** Voilà, monsieur.
☐ **d.** Merci.

2 Bonjour, je m'appelle...

A. Vocabulaire

1 Complétez.

1. Pierre habite à Paris, il parle *français*.

2. Berrak habite à Istanbul, elle parle t ....

3. Miguel habite à Buenos Aires, il parle e ....

4. Chen Yi habite à Pékin, elle parle c ....

5. Andrej habite à Moscou, il parle r ....

6. Maria habite à Rio de Janeiro, elle parle p ....

2 Écrivez en chiffres.

1. vingt-quatre : *24*

2. vingt-six : ....

3. trente et un : ....

4. trente-deux : ....

5. quarante et un : ....

6. cinquante-neuf : ....

7. soixante et un : ....

8. soixante-trois : ....

3 Écrivez en lettres.

a. 27, 28 : *vingt-sept, vingt-huit*

b. 34, 41 : ....

c. 45, 51 : ....

d. 52, 62 : ....

B. Grammaire

4 Transformez.

1. Pierre est français. → Pauline est *française*.

2. Mircéa est roumain. → Angela est ....

3. Georges est danois. → Monika est ....

4. Karol est polonais. → Angie est ....

5. Manh est vietnamien. → Tam Doan est ....

6. Rudolf est tchèque. → Iva est. ....

5 Associez.

1. *Elle s'appelle*   → *d*

2. Il s'appelle   → ....

3. Elle a   → ....

4. Elle habite à   → ....

5. Elle parle   → ....

6. Elle est   → ....

7. Il est   → ....

a. polonaise

b. Varsovie

c. trente-deux ans

d. *Anna*

e. Thomas

f. américain

g. trois langues

6 Complétez avec le verbe *être* ou *avoir*.

1. Bonjour, je *suis* Marc Bernadin.

2. Je .... français.

3. J'............................. 44 ans.

4. Pauline .... russe.

5. Elle .... étudiante.

6. Elle .... 22 ans.

7 *je, j', il, elle* ou *vous* ?

1. Marc habite à Bruxelles, *il* est Belge.

2. Elena est russe, ... habite à Moscou.

3. Moi, ... suis espagnol, mais .... habite à Paris.

4. Et .... ? .... habitez à Paris ?

C. Communication

8 Complétez les mentions manquantes.

Elle s'............................. Florence. Elle h............................. à Nice, dans le sud de la France. Elle .... française. Elle est mariée et elle a .... enfants, Maxime et Julien. Maxime .... 10 ans et Julien a huit .... Florence .... documentaliste dans .... bibliothèque. Elle .... langues : anglais, italien, espagnol et, bien sûr, ...

9 Complétez librement.

Il s'appelle ....
....
....
....
....
....
....
....
....
....

....
....
....
....
....
....
....
....
....
....

3 Ça va, et vous ?

A. Vocabulaire

1 Comment ça s'écrit ? Complétez.

1. Andrée : A, N, D, R, E accent *aigu*, E

2. Françoise : F, R, A, N, C ...., O, I, S, E

3. Pierre : P, I, E, ... R, E

4. Gisèle : G, I, S, E accent ...., L, E

5. Jérôme : J, E accent ...., R, O accent ...., M, E

6. Jean-Paul : J, E, A, N, ..., P, A, U, L

2 Associez.

1. *Vous complétez…* → *c*   a. à New York.

2. Vous lisez…   → ....   b. une chaîne de télévision.

3. Vous écoutez…   → ....   c. *un formulaire.*

4. Vous regardez…   → ....   d. répéter ?

5. Vous allez…   → ....   e. une station de radio.

6. Vous pouvez…   → ....   f. un journal.

B. Grammaire

3 Complétez le tableau.

infinitif	....	*aller*	*pouvoir*	*être*
je	*parle*	*vais*	*peux*	....
tu	....	....	....	....
il / elle	*parle*	....	*peut*	....
vous	....	....	....	....

4 Complétez avec le verbe au présent.

1. J' .... (*écouter*) une chanson.

2. Elle .... (*regarder*) un film.

3. Tu .... (*habiter*) ici ?

4. Tu .... (*pouvoir*) venir ?

5. Tu .... (*parler*) russe ?

6. Je .... (*pratiquer*) le français.

7. Je .... (*consulte*) un médecin.

8. Paul Bert, c' .... (*être*) moi.

9. Elle .... (*être*) enchantée.

10. Je .... (*être*) bien ici.

11. Vous .... (*pouvoir*) répéter ?

12. Vous .... (*être*) Paul Bert ?

13. Je .... (*aller*) à Paris.

14. Ça .... (*aller*) bien, merci.

C. Communication

5 Cochez la bonne réponse.

1. Bonjour, tu vas bien ?

☐ Bien, merci, et vous ?

☐ Oui, enchanté.

☐ Tu es madame Dumas ?

2. Je suis Cédric Michon, enchanté.

☐ Enchantée, je suis Sarah Meyer.

☐ Un instant, Cédric.

☐ Vous allez bien, monsieur Michon ?

3. Vous êtes Lucie Latour ?

☐ C'est moi, vous allez bien ?

☐ Oui, bonjour, ça va ?

☐ C'est moi, oui, enchantée.

4. Vous parlez français ?

☐ Oui, c'est moi.

☐ Oui, je suis français.

☐ Oui, vous pouvez.

5. Vous habitez à Paris ?

☐ Oui, et vous ?

☐ Oui, excusez-moi.

☐ Oui, un peu.

6. Salut, ça va ?

☐ Salut, à bientôt !

☐ Excuse-moi, s'il te plaît.

☐ Et toi ?

6 Mettez les répliques dans l'ordre.

Dialogue 1

☐ **a.** Vous parlez bien français.

☐ **b.** Merci, vous aussi.

☐ **c.** Non, je suis américaine.

☐1 **d.** Vous êtes française ?

Dialogue 2

☐ **a.** Non, je suis française.

☐ **b.** Enchanté, vous êtes chinoise ?

☐ **c.** Bonjour, je suis Jacques Viala.

☐ **d.** Enchantée, je m'appelle Yi Chen.

Dialogue 3

☐ **a.** Ça va ?

☐ **b.** Salut !

☐ **c.** Salut !

☐ **d.** Ça va, et toi ?

Dialogue 4

☐ **a.** Bien, bien, merci.

☐ **b.** Et monsieur Duc, ça va ?

☐ **c.** Il va bien, merci.

☐ **d.** Bonjour, madame Duc, vous allez bien ?

7 Complétez les dialogues.

Vous travaillez où ?

A. Vocabulaire

1 **Supprimez l'intrus.**

1. Finlande – Suisse – ~~Michelin~~ – Japon

2. italienne – entreprise – grecque – allemande

3. collègue – comptable – vendeur – guide-interprète

4. vendeurs – ordinateurs – stylos – montres

2 **Qu'est-ce qu'ils font ? Complétez.**

1. Un libraire vend des *livres*.

2. Un fleuriste vend des ....

3. Un photographe fait des ....

4. Airbus fait des ....

5. Renault ....

6. Ikea ....

3 **Complétez avec les mots de la boîte d'entreprises.**

1. .... est une entreprise agroalimentaire.

2. .... est une grande banque.

3. .... est une agence de publicité.

4. .... est une compagnie d'assurance.

5. .... est une compagnie aérienne.

6. .... est un hôtel de luxe.

> **BOÎTE D'ENTREPRISES**
>
> *Le Grand Palace*
> *Axa*
> *Danone*
> *HSBC*
> *Publicis*
> *Air France*

B. Grammaire

4 **Faites deux phrases, comme dans l'exemple.**

1. cuisinier / français

Il est cuisinier. C'est un cuisinier français.

2. architecte / italien

....

3. guide / français

....

4. avocate / américaine

....

5 **Complétez avec *elle est, ils sont, elles sont, c'est* ou *ce sont*.**

1. *C'est* un avion.

2. Catherine Lamy ? .... pilote chez Air France.

3. .... hôtesses de l'air.

4. .... mécaniciens.

5. .... des passagers.

6 Complétez le tableau.

infinitif	travailler	connaître	faire	vendre
je	....	connais	fais	vends
tu	travailles	connais	....	vends
il / elle	travaille	connaît	....	....
vous	....	....	....	....

7 Écrivez les questions.

1. – *Qu'est-ce que vous faites comme métier ?*
    – Je suis professeur de russe.

2. – .... ?
    – C'est une montre.

3. – .... ?
    – Ce sont des clients.

4. – .... ?
    – À New York, dans une banque.

C. Communication

8 Écrivez les questions.

5 Adresse, téléphone, mail

A. Vocabulaire

1 Associez.

1. *l'assistante → d*

2. le pilote → ....

3. les étudiants → ....

4. le directeur → ....

5. le président → ....

6. le ministère → ....

7. l'avenue → ....

8. la coupe → ....

a. des Ressources humaines

b. du professeur

c. du Général-de-Gaulle

d. *du directeur*

e. de l'avion

f. du monde

g. de la République

h. des Affaires étrangères

2 Écrivez les numéros de téléphone en chiffres.

1. zéro un, trente-deux, vingt-huit, soixante-dix, douze : ***01 32*** ....

2. zéro quatre, soixante et onze, trente, vingt-quatre, seize : ....

3. zéro huit, quarante-neuf, cinquante, quatre-vingt, dix-sept : ....

3 Écrivez les nombres en lettres.

a. 81 : ....

b. 55 : ....

c. 41 : ....

d. 75 : ....

B. Grammaire

4 Transformez, comme dans l'exemple.

1. un acteur → *l'acteur*

2. une actrice → ....

3. une pièce de théâtre → ....

4. une histoire → ....

5. un rôle → ....

6. des spectateurs → ....

5 Complétez, comme dans l'exemple.

1. Lui, c'est **le** chef **du** personnel.

2. Il habite dans .... rue .... hôpital.

3. Lui, c'est .... directeur .... production.

4. Elle, c'est .... patronne .... Pierre.

5. Lui, c'est .... assistant .... madame Lecœur.

6. Voilà .... employés .... service financier.

7. L'ONU, c'est .... Organisation .... Nations unies.

8. Pierre travaille pour .... Ville .... Paris.

6 Complétez avec *une, le, la, l', les*.

1. Je connais .... actrice. Elle s'appelle Pauline Mercier. En ce moment, elle joue dans .... pièce de théâtre à Paris.

2. .... pièce s'appelle .... *Vie de Natacha 008*.

3. .... histoire se passe à Berlin, dans .... années 60. C'est .... histoire d'espionnage.

4. Pauline Mercier joue .... rôle de Natacha. C'est .... rôle principal.

Pauline Mercier joue le rôle de Natacha.

7 Posez des questions sur les mots soulignés. Utilisez les mots suivants.

l'âge / *l'adresse* / la nationalité / le nom / la profession

1. L'hôtel de la Paix se trouve 4, rue Montaigne.

→ *Quelle est l'adresse de l'hôtel de la Paix ?*

2. Le directeur de l'hôtel s'appelle Pierre Toubon.

→ ....

3. L'assistante de Léo Toubon est colombienne.

→ ....

4. Le comptable a 59 ans.

→ ....

5. La fille du comptable est architecte.

→ ....

C. Communication

8 Lisez la déclaration de Florian et complétez sa carte de visite.

Florian : « Je m'appelle Florian Brasseur. J'ai 24 ans. Je suis belge, mais j'habite en France. Je suis conseiller commercial chez Top vacances. C'est une agence de voyages française, le siège social est à Paris, mais, moi, je travaille à Bordeaux, au 34, rue Paulin. Je voyage beaucoup, surtout en Espagne et en Italie. Je parle cinq langues : espagnol, italien, anglais, flamand et, bien sûr, français. »

....

Florian ....

....

....

33000 ....

FRANCE

Tél. : 05 78 55 43 09

fbrasseur@topvacances.fr

Faire le point

A. Le point de langue

1 … la photo, c'est Vanessa Lopez.
- ☐ Écoutez
- ☐ Regardez
- ☐ Lisez
- ☐ Répétez

2 Il est … dans un restaurant.
- ☐ serveur
- ☐ vendeur
- ☐ coiffeur
- ☐ professeur

3 L'assistante du directeur a … ans.
- ☐ quinze
- ☐ cent onze
- ☐ quatre-vingts
- ☐ vingt-neuf

4 Vous pouvez … votre nom ?
- ☐ appeler
- ☐ peler
- ☐ geler
- ☐ épeler

5 …, comment vas-tu ?
- ☐ Bonjour
- ☐ Merci
- ☐ Au revoir
- ☐ Pardon

6 C'est un mot féminin ou … ?
- ☐ pluriel
- ☐ singulier
- ☐ indéfini
- ☐ masculin

7 Toyota fait des …
- ☐ meubles
- ☐ stylos
- ☐ voitures
- ☐ pneus

8 Vous … où ?
- ☐ allez
- ☐ connaissez
- ☐ avez
- ☐ faites

9 Il travaille dans une … américaine.
- ☐ rue
- ☐ profession
- ☐ entreprise
- ☐ fonction

10 Le … électronique (en anglais *email* ou *e-mail*) a été inventé en 1972.
- ☐ communiqué
- ☐ billet
- ☐ courrier
- ☐ message

11 Léo, ça s'écrit L, E accent …, O.
- ☐ aigu
- ☐ circonflexe
- ☐ grave
- ☐ cédille

12 … les clés du bureau.
- ☐ C'est
- ☐ Elles sont
- ☐ Ce sont
- ☐ Ils sont

13 … espagnole.
- ☐ C'est
- ☐ Elle est
- ☐ Il est
- ☐ C'est un

14 J'ai … frère, il s'appelle Jonathan.
- ☐ un
- ☐ le
- ☐ une
- ☐ la

15 Il travaille à … hôpital.
- ☐ le
- ☐ l'
- ☐ la
- ☐ les

16 Voilà … bus 33.
- ☐ un
- ☐ des
- ☐ le
- ☐ les

17 … parle allemand, Sarah ?
- ☐ Tu
- ☐ Il
- ☐ Vous
- ☐ Elle

18 … est la capitale de l'Inde ?
- ☐ Quel
- ☐ Quels
- ☐ Quelle
- ☐ Quelles

B. Le point de communication

1 **Complétez la bulle.**

2 **Pierre Bosse travaille chez Ford. Vous connaissez Ford ? Complétez.**

– Oui, Ford, c'est ....
....
....

3 **Pierre Bosse travaille dans l'usine de Mulhouse, en France. Quel est son numéro de téléphone ?**

a. ☐ 04 89 89 09 18
b. ☐ 504 282 8649
c. ☐ 7248890009
d. ☐ 021 766 3291

4 **Répondez aux questions suivantes.**

1. – Vous êtes français(e) ?

– ....

2. – Qu'est-ce que vous faites dans la vie ?

– ....

3. – Vous travaillez / étudiez où ?

– ....

5 **Écrivez les mots.**

Exemple :
B comme Bernard, A, C, H.
→ **Bach**.

1. L apostrophe, E accent aigu, L, E accent grave, V comme Victor, E.

→ ....

2. C, O, deux N, A, I accent circonflexe, T comme Thomas, R, E.

→ ....

6 **Trouvez la question.**

1. – ....?

– C'est le 04 77 23 93 17.

2. – ....?

– Non, je suis célibataire.

3. – ....?

– 72220.

7 **Complétez le mail.**

Bonjour, Camille,

Ça y est, le nouveau directeur est arrivé.

Il .... Michel Henri (Michel,

c'est le .... et Henri, c'est

le nom). Il a 40 .... Et tu sais

quoi ? Eh bien, nous sommes voisins !

Il .... au numéro 4

de la .... de Paradis et moi,

.... au 6.
À bientôt,
Pierre

2 objets

1 Objets utiles

A. Vocabulaire

1 Associez

1. **un sac** → **e**
2. un téléphone → ....
3. une carte → ....
4. un cachet → ....
5. un appareil → ....
6. une pièce → ....
7. un billet → ....
8. un dictionnaire → ....
9. des lunettes → ....
10. une brosse → ....

a. d'aspirine
b. de crédit
c. de monnaie
d. photo
e. **à main**
f. à dents
g. portable
h. de banque
i. électronique
j. de soleil

2 Supprimez l'intrus.

1. un café – un thé – ~~un passeport~~
2. un sucre – un stylo – un crayon
3. un papier – une tasse – un verre
4. une montre – un réveil – un dictionnaire

5. une cuiller – une soupe – un portefeuille
6. une enveloppe – une poche – un timbre
7. une clé – un journal – un magazine
8. une calculette – une boîte – un sac

3 Complétez avec les mots suivants.

colle un timbre   consulte son agenda   *cherche un mot*   prend une photo   met ses lunettes
ouvre la porte   règle ses achats   voyage à l'étranger

1. Pierre **cherche un mot** dans le dictionnaire.

2. Michel .... pour lire.

3. Émilie .... sur l'enveloppe.

4. Karim .... avec un billet de 100 euros.

5. Sarah .... pour prendre rendez-vous.

6. Nicolas .... pour ses affaires.

7. Rebecca .... de son bureau.

8. Barak .... avec son téléphone portable.

B. Grammaire

4 Écrivez l'infinitif des verbes.

1. J'*achète* des lunettes. → *acheter*

2. Il *fait* ses achats. → ....

3. Elle *boit* un thé. → ....

4. Je *prends* le bus. → ....

5. Je *lis* un livre. → ....

6. Il *met* son chapeau. → ....

7. Je *connais* la nouvelle. → ....

8. Elle *ouvre* sa porte. → ....

9. Tu *voyages* à Paris. → ....

10. Je *paye* la facture → ....

5 Entourez la bonne réponse.

1. Je fais | mon | ma | mes | calculs.

2. Vous connaissez | son | sa | ses | numéro ?

3. Quelle est | ton | ta | tes | adresse ?

4. Voici | mon | ma | mes | valise.

5. Tu as | ton | ta | tes | passeport ?

6. Je cherche | mon | ma | mes | lunettes.

7. Elle fait | son | sa | ses | courses.

8. Il achète | son | sa | ses | journal.

C. Communication

6 Mettez les phrases des dialogues dans l'ordre.

Dialogue 1

☐ **a.** Comment ça s'écrit ?

☐1 **b.** Comment ça se dit en français ?

☐ **c.** Un crayon.

☐ **d.** C-R-A-Y-O-N.

Dialogue 2

☐ **a.** Un portefeuille.

☐ **b.** Un portefeuille.

☐ **c.** Qu'est-ce que c'est en français ?

☐ **d.** Tu peux répéter, s'il te plaît ?

Dialogue 3

☐ **a.** Un ou une ?

☐ **b.** Comment on dit *spoon* en français ?

☐ **c.** Cuiller.

☐ **d.** Une cuiller.

Dialogue 4

☐ **a.** Qu'est-ce que tu cherches ?

☐ **b.** Pour payer la facture.

☐ **c.** Pour quoi faire ?

☐ **d.** Mon carnet de chèques.

7 Complétez les dialogues.

Dialogue 1

– Qu'est-ce que vous cherchez ?

– Un sac en plastique.

– .... ?

– Pour ranger mes affaires.

Dialogue 2

– Vous parlez français ?

– Oui.

– .... ?

– Tasse.

Dialogue 3

– Qu'est-ce que c'est ?

– Un agenda électronique.

– .... ?

– Un agenda électronique.

Dialogue 4

– Qu'est-ce que tu fais ?

– ....

– Quel journal ?

– *Le Journal des Affaires.*

2 Avoir ou ne pas avoir

A. Vocabulaire

1 **Supprimez l'intrus.**

Dans une boutique de vêtements

1. un fromage – un pantalon – une veste

2. un costume – un parfum – un tailleur

3. un manteau – un imperméable – un poisson

4. un bijou – une robe – une jupe

5. une écharpe – un foulard – un médicament

6. un pyjama – une gomme – une chemise

7. des chaussettes – des gants – des lunettes

8. un short – un jean – un gâteau

9. un tee-shirt – un livre – un pull-over

10. un nœud papillon – une fleur – une cravate

2 **Qu'est-ce qu'ils vendent ? Complétez avec des mots de l'exercice 1.**

1. Le poissonnier vend des ....

2. Le pâtissier vend des ....

3. Le libraire vend des ....

4. Le pharmacien vend des ....

5. Le bijoutier vend des ....

6. Le fromager vend des ....

7. Le fleuriste vend des ....

8. La papeterie vend des ....

9. La parfumerie vend des ....

10. Un opticien vend des ....

B. Grammaire

3 **Complétez avec les verbes *être* ou *avoir*.**

1. Vous ***avez*** un message.

2. Ils .... une maison de campagne.

3. Nous .... des bureaux à Madrid.

4. Elle .... italienne.

5. Ils .... à Paris.

4 **Mettez à la forme négative.**

1. Je pratique la natation. → ***Je ne pratique pas la natation.***

2. Je connais le problème. → ....

3. Il paie ses factures. → ....

4. Elle aime l'opéra. → ....

5. Je prends ma voiture. → ....

5 **Mettez à la forme négative.**

1. Elle prend des cours de français. → ***Elle ne prend pas de cours de français.***

2. Il pratique un sport de combat. → ....

3. Ils font une proposition. → ....

4. Ils vendent des produits de luxe. → ....

5. Vous faites des progrès. → ....

6 Transformez les questions en utilisant *est-ce que*.

1. Ils vendent des allumettes ?   → *Est-ce qu'ils vendent des allumettes ?*

2. Vous avez une question ?   → ....

3. Elle aime la cuisine française ?   → ....

4. Tu peux fermer la porte ?   → ....

7 Répondez par la négative : *Ce n'est pas un... Ce ne sont pas des...*

– J'ai un cadeau pour toi.

– Qu'est-ce que c'est ?

– Devine !

1. – C'est un livre ?

   – *Non, ce n'est pas un livre.*

2. – Ce sont des chocolats ?

   – Non, ...

3. – C'est une montre ?

   – Non, ...

4. – Ce sont des fleurs ?

   – Non, ...

– Alors, qu'est-ce que c'est ?

– Ouvre le paquet, tu verras.

C. Communication

8 Mettez les dialogues dans l'ordre.

Dialogue 1

☐ **a.** C'est combien, la carte postale ?

☐ **b.** Vous avez des cartes postales ?

☐ **c.** Un euro.

☐1 **d.** Bonjour, vous désirez ?

☐ **e.** Oui, bien sûr.

Dialogue 2

☐ **a.** Voilà, madame.

☐ **b.** C'est combien ?

☐ **c.** Merci.

☐ **d.** Bonjour, je voudrais une pile.

☐ **e.** Voilà 1 euro et... 20 centimes.

☐ **f.** 1,20 euro.

Dialogue 3

☐ **a.** Oui, bien sûr, tenez, voilà une paire.

☐ **b.** Elles coûtent combien ?

☐ **c.** Bonjour, monsieur.

☐ **d.** Quel type de lunettes cherchez-vous ?

☐ **e.** Bonjour, je voudrais des lunettes.

☐ **f.** Eh bien, d'accord, j'achète.

☐ **g.** Vous avez la marque GC ?

☐ **h.** Elles sont à 59,50 euros.

9 Complétez le dialogue avec les mots suivants.

je ne comprends pas	vous ne vendez pas
nous ne vendons pas	vous n'êtes pas

Cliente : Bonjour, je voudrais un timbre à deux euros, s'il vous plaît.

Employé de banque : Je suis désolé, madame, mais .... de timbre.

Cliente : ...., je suis dans une poste, et .... de timbre.

Employé de banque : .... dans une poste, madame, vous êtes dans une banque.

19

3 Objets ici et là

A. Vocabulaire

1 Écrivez les mots soulignés autour des dessins.

a. Sur le dessin 1 :

– on voit un <u>fauteuil</u> et un <u>canapé</u> ;

– il y a un <u>coussin</u> sur le fauteuil ;

– il y a un <u>tableau</u> au dessus du canapé ;

– on voit un <u>vase</u> sur le tableau ;

– il y a des <u>fleurs</u> dans le vase ;

– il y a un <u>tapis</u> par terre.

b. Sur le dessin 2 :

– on voit un <u>lavabo</u> ;

– il y a une <u>glace</u> au-dessus du lavabo ;

– il y a une <u>poubelle</u> au-dessous du lavabo ;

– il y a une <u>serviette</u> accrochée au mur ;

– il y a un <u>gobelet</u> sur le lavabo ;

– il y a <u>une brosse à dents</u> dans le gobelet.

Dessin 1

1. *Le fauteuil*
2. ....
3. ....
4. ....
5. ....
6. ....
7. ....

Dessin 2

1. ....
2. ....
3. ....
4. ....
5. ....
6. ....

B. Grammaire

2 **Complétez avec *du, de la, de l'* ou *des*.**

1. Rémy habite juste en face de .... église.

2. Il travaille dans un immeuble à côté .... gare.

3. Son bureau se trouve en bas .... escalier.

4. Le bureau de Rémy se trouve à droite .... porte.

5. Le bureau a un tiroir et il y a des clés au fond .... tiroir.

6. Il y a une lampe au dessus .... bureau.

7. Il y a aussi une table au milieu .... pièce.

8. Et quatre chaises autour .... table.

3 **Mettez les répliques dans l'ordre.**

Dialogue 1

☐ **a.** Je ne trouve pas mes clés.

☐ **b.** Qu'est-ce qu'il y a ?

☐ **c.** Non, ça ne va pas.

☐ **d.** Ça va ?

☐ **e.** Mes clés de voiture.

☐ **f.** Quelles clés ?

Dialogue 2

☐ **a.** Regarde dans le tiroir.

☐ **b.** Je cherche une gomme.

☐ **c.** Quoi encore ?

☐ **d.** Maintenant, laisse-moi travailler.

☐1 **e.** Excuse-moi.

☐ **f.** Ah oui, merci.

C. Communication

4 **Lisez le dialogue entre Max et Inès et répondez aux questions.**

Inès : Qu'est-ce que tu cherches ?

Max : Le dossier Cerise.

Inès : Ce n'est pas le dossier jaune sur la table ?

Max : Non, non, c'est un dossier noir.

Inès : Il y a un dossier par terre, sous la table.

Max : Ah oui, c'est ça, merci. Bon, et maintenant, mes clés de voiture.

Inès : Regarde, elles sont sur l'étagère, à côté de la cafetière.

Max : Ah, génial, merci. Et puis maintenant…

Inès : Quoi encore ?

Max : Mes lunettes. Elles sont dans ma veste. Elle est où, ma veste ?

Inès : Sur la chaise, à côté de la fenêtre.

Max : Ah, oui, merci. Allez, salut !

1. Où est le dossier jaune ?   – ....

2. Où est le dossier Cerise ?   – ....

3. Où est la cafetière ?   – ....

4. Où sont les clés de voiture ? – ....

5. Où sont les lunettes ?   – ....

6. Où est la veste ?   – ....

4 Objets comme ça

A. Vocabulaire

1 Complétez les phrases avec les adjectifs suivants.

intéressant   lourd   ***grand***   facile   bon marché   moderne

1. Sarah est petite, mais Paul est ***grand***.

2. Elle, elle aime le style ancien. Lui, il aime le style ....

3. Pour elle, *Le Monde* est un journal ennuyeux. Pour lui, c'est un journal ....

4. Elle porte des vêtements chers. Lui, il achète des vêtements ....

5. Elle, elle voyage avec une valise légère. Lui, il porte un sac très ....

6. Elle a un travail difficile. Au contraire, le travail de Paul est plutôt ....

2 Supprimez l'intrus.

1. cher – bon marché – ~~vide~~

2. épais – ouvert – mince

3. large – étroit – tranquille

4. nouveau – long – court

5. profond – bruyant – silencieux

6. propre – sale – bleu

7. chaud – neuf – froid

8. ennuyeux – mouillé – sec

9. rapide – étonnant – lent

10. bête – petit – intelligent

3 Dites si c'est positif ou négatif.

	Positif	Négatif
1. Le voyage est long et fatigant.	☐	☐
2. Le livre n'est pas intéressant.	☐	☐
3. C'est un appartement spacieux et lumineux.	☐	☐
4. Il travaille dans une petite pièce sombre.	☐	☐
5. C'est un fauteuil confortable.	☐	☐
6. La poubelle est pleine.	☐	☐
7. Ta cravate n'est pas très belle.	☐	☐
8. La cuisine du restaurant est propre.	☐	☐

4 À l'aide du dictionnaire, trouvez le sens des phrases.

1. Monsieur Bosse est un grand patron.

☐ Monsieur Bosse n'est pas petit.

☐ C'est un homme de grande valeur.

2. Paul a sa propre voiture.

☐ La voiture de Paul n'est pas sale.

☐ Paul est propriétaire d'une voiture.

3. Paul a une voiture propre

☐ La voiture de Paul n'est pas sale.

☐ Paul est propriétaire de sa voiture

4. Paul visite BCA, son ancienne entreprise.

☐ BCA est l'ex-entreprise de Paul.

☐ BCA est une vieille entreprise.

5. BCA est une entreprise ancienne.

☐ BCA est une ex-entreprise.

☐ BCA est une vieille entreprise.

6. Paul est un curieux garçon.

☐ Paul s'intéresse à tout.

☐ Paul est un garçon bizarre.

B. Grammaire

5 Écrivez les adjectifs au féminin.

1. un appartement *ancien* → une maison *ancienne*

2. un livre épais   → une feuille ....

3. un faux billet   → une .... pièce

4. un bon poisson   → une .... viande

5. un vélo neuf   → une voiture ....

6. un pantalon long   → une robe ....

7. un bureau spacieux   → une chambre ....

8. un pays étranger   → une langue ....

C. Communication

6 Nous sommes chez Tior, un magasin de chaussures. Qui prononce les phrases suivantes ? La vendeuse ou le client ?

	Vendeuse	Client
1. Je n'aime pas le noir.	☐	☐
2. Quelle couleur préférez-vous, monsieur ?	☐	☐
3. Vous avez les mêmes en marron ?	☐	☐
4. Elles sont très résistantes.	☐	☐
5. Voulez-vous essayer ?	☐	☐
6. Elles sont chères.	☐	☐
7. Elles sont belles, vous ne trouvez pas ?	☐	☐

7 Un client entre chez Tior. Complétez le dialogue avec les répliques suivantes de la vendeuse.

1. Ah, désolée, nous avons seulement du 39.
2. Vous n'avez pas un fils, monsieur ?
3. Oui, bien sûr. La caisse est par là, monsieur.
4. Dix euros. Vous faites quelle taille, monsieur ?
5. Alors, c'est parfait pour votre fils.
6. Et il chausse du combien ?

Client : Les chaussures noires coûtent combien ?

Vendeuse : ....

Client : Je fais du 43.

Vendeuse : ....

Client : C'est dommage ! C'est trop petit.

Vendeuse : ....

Client : Si.

Vendeuse : ....

Client : Il chausse du 39, je crois.

Vendeuse : ....

Client : Oui, c'est vrai. Vous acceptez les chèques ?

Vendeuse : ....

5 Qu'est-ce que vous préférez ?

A. Vocabulaire

1 Cochez l'adjectif qui convient.

1. une voiture	☐ rapide	☐ grasse	☐ cuite
2. une valise	☐ bruyante	☐ lourde	☐ nerveuse
3. un musée	☐ ouvert	☐ disponible	☐ lent
4. des lunettes	☐ légères	☐ efficaces	☐ calmes
5. un appartement	☐ facile	☐ malade	☐ sale
6. une pièce	☐ exacte	☐ vide	☐ fréquente
7. un film	☐ pratique	☐ récent	☐ spacieux
8. un fruit	☐ mûr	☐ neuf	☐ moderne
9. une marque	☐ fermée	☐ tranquille	☐ connue
10. un thé	☐ tranquille	☐ neuf	☐ chaud

2 Supprimez l'intrus.

1. connu – inconnu – bleu
2. efficace – précis – inefficace
3. bon – mauvais – gros
4. pratique – fragile – solide
5. sûr – mince – dangereux
6. beau – laid – léger

7. original – rapide – banal
8. dur – mou – chaud
9. silencieux – bruyant – spacieux
10. épais – ouvert – fermé
11. sale – neuf – propre
12. large – moderne – étroit

B. Grammaire

3 Dites si *on = nous* ou si *on = les gens* ?

	on = nous	on = les gens
1. Qu'est-ce qu'on fait ?	☐	☐
2. On est fatigué, on préfère rester à la maison.	☐	☐
3. On parle français à Montréal.	☐	☐
4. Bon, alors, on achète la chemise bleue ou la verte ?	☐	☐
5. On ne peut pas fumer dans les trains.	☐	☐

4 Transformez les phrases en utilisant *on*.

1. Nous cherchons les ciseaux. → ***On cherche les ciseaux.***
2. Nous faisons des exercices de grammaire. → ....
3. Nous achetons des meubles pour le bureau. → ....
4. Nous n'aimons pas le bruit. → ....
5. Nous avons une Renault. → ....
6. Nous ne sommes pas d'accord. → ....

5 **Complétez avec le pronom sujet.**

1. Vous, qu'est-ce que *vous* préférez ?

2. Elle, ... n'aime pas la télévision.

3. Toi, ... travailles où ?

4. Elles, ... détestent le tabac.

5. Moi, ... n'ai pas de voiture.

6. Lui, ... vend des journaux.

7. Eux, ... adorent le sport.

8. Nous, ... préfère travailler.

6 **Complétez avec le pronom tonique.**

1. *Toi*, qu'est-ce que tu aimes ?

2. ...., j'aime le cinéma.

3. ...., on aime bien les livres.

4. ...., qu'est-ce que vous préférez ?

5. ...., elles ont horreur du tabac.

6. ...., il préfère le G34.

7. ...., elle adore les parfums.

8. ...., ils détestent la télévision.

7 **Complétez avec *lui, elle, eux, elles*.**

1. Elle parle souvent de son patron. Elle parle souvent de *lui*.

2. Ce livre est à ma collègue. C'est un livre à ....

3. Il habite chez son frère. Il habite chez ....

4. Je travaille avec Pierre et Sarah. Je travaille avec ....

5. C'est un cadeau pour ses filles. C'est un cadeau pour ....

C. Communication

8 **Vous partez pour l'étranger. Qu'est-ce que vous emportez ? Choisissez un objet dans chaque paire et justifiez votre choix.**

☐ un gros dictionnaire papier
☒ un dictionnaire électronique

Je prends un dictionnaire électronique parce que c'est moins lourd qu'un gros dictionnaire papier.

☐ un parapluie
☐ un imperméable

....
....

☐ des espèces
☐ une carte de crédit

....
....

☐ un sac à dos
☐ une valise

....
....

9 **Vrai ou faux ? Testez-vous.**

	Vrai	Faux
1. Ford est la plus grande entreprise automobile du monde.	☐	☐
2. Bill Gates est l'homme le plus riche du monde.	☐	☐
3. La tour Eiffel est la tour la plus haute du monde.	☐	☐
4. Wikipedia est le site Internet le plus visité du monde.	☐	☐
5. Monaco est le plus petit État du monde.	☐	☐

Faire le point

A. Le point de langue

1 Monsieur Bosse va chez l'opticien pour acheter des …

☐ lunettes ☐ chaussures
☐ ciseaux ☐ légumes

2 Pour acheter de petites fournitures de bureau, il entre dans …

☐ une papeterie ☐ une boulangerie
☐ une librairie ☐ une bijouterie

3 « Je voudrais acheter un matelas », demande M. Bosse. « Allez au rayon … », répond le vendeur.

☐ multimédia ☐ salle de bains
☐ cuisine ☐ literie

4 M. Bosse porte une veste en …

☐ papier ☐ bois
☐ cuir ☐ plastique

5 Il a une paire de … dans la poche.

☐ robes ☐ gants
☐ cravates ☐ tailleurs

6 M. Bosse travaille dans un bureau …

☐ spacieux ☐ rapide
☐ difficile ☐ lourd

7 Le bureau est en haut, … les toits.

☐ sous ☐ dans
☐ sur ☐ entre

8 Il met son stylo dans le … du bureau.

☐ peigne ☐ sac
☐ tiroir ☐ radiateur

9 La … est pleine de papiers.

☐ feuille ☐ raquette
☐ lettre ☐ corbeille

10 Où est ma … ?

☐ assiette ☐ tasse
☐ hôtel ☐ écharpe

11 Julie habite un quartier…

☐ agréable ☐ dangereuse
☐ bruyante ☐ ancienne

12 Je connais un … restaurant.

☐ ouvert ☐ tranquille
☐ japonais ☐ bon

13 Les Dupont … une grande maison.

☐ ai ☐ avons
☐ a ☐ ont

14 Sarah a un vélo, elle n'a pas … voiture.

☐ le ☐ une
☐ la ☐ de

15 Elle n'aime pas … voitures.

☐ la ☐ des
☐ les ☐ de

16 – Vous ne mettez pas de cravate ?
– …, je ne mets pas de cravate.

☐ Oui ☐ Non
☐ Si ☐ Pas

17 Les montres suisses sont … que les montres chinoises.

☐ meilleures ☐ bonnes
☐ mieux ☐ bons

18 Le vélo de Paul est aussi léger … le vélo de Jacques.

☐ comme ☐ de
☐ que ☐ avec

B. Le point de communication

1 Un client entre dans un magasin de vêtements. Complétez le début du dialogue.

Vendeur : Bonjour ....

....

Client : Vous vendez des chemises en soie ?

Vendeur : ....

....

Client : Bleue, est-ce que vous avez ?

Vendeur : Oui, bien sûr. Regardez, voici une magnifique chemise bleu ciel.

Client : Pas mal. ....

Vendeur : 48 euros.

Client : ....

Vendeur : Je comprends. Mais ....

....

2 Où faites-vous vos exercices de français ? Décrivez la pièce.

....

....

....

....

....

....

....

....

....

....

....

....

....

....

....

....

3 Voici une annonce parue sur le site *lespetites annonces.com*. Lisez l'annonce et répondez aux questions.

> **Vends vélo de course, Peugeot, vert, 21 vitesses, 3 plateaux, compteur, état neuf.**
> **Livré avec chaussures pointure 40.**
> **Prix : 800 €.**
>
> **Michel.** 06 44 76 89 09

1. Qu'est-ce que vend Michel ?

....

2. De quelle couleur est le vélo ?

....

3. Combien de vitesses a le vélo ?

....

4. Est-ce un vélo neuf ou un vélo d'occasion ?

....

5. Combien coûte-t-il ?

....

6. Les chaussures sont-elles gratuites ?

....

7. Que faites-vous si vous êtes intéressé ?

....

4 Vous voulez vendre un objet. Écrivez votre annonce.

....

....

....

....

....

....

3 emploi du temps

1 Quelle heure est-il ?

A. Vocabulaire

1 Écrivez les heures en chiffres.

1. Il est une heure vingt-cinq.   → Il est **1 h 25**.

2. Il est neuf heures cinquante-trois.   → Il est ....

3. Il est vingt-deux heures zéro six.   → Il est ....

4. Il est treize heures quarante et une.   → Il est ....

5. Il est quinze heures quinze.   → Il est ....

2 Associez.

1. *Il est midi et quart.*   → *c*   **a.** Il est onze heures quarante.

2. Il est quatre heures et demie.   → ....   **b.** Il est zéro heure trente.

3. Il est une heure moins le quart.   → ....   **c.** *Il est douze heures quinze.*

4. Il est minuit et demi.   → ....   **d.** Il est seize heures trente.

5. Il est midi moins vingt.   → ....   **e.** Il est douze heures quarante-cinq.

3 Complétez les phrases avec *à l'heure, en avance, en retard*.

1. Moi, je suis ponctuel, je suis toujours ....

2. Sarah a rendez-vous à 10 heures. Elle arrive à 9 heures. Elle est ....

3. Son avion décolle à 16 heures. Il arrive à l'aéroport à 16 heures. Il est ....

4 Trouvez le contraire.

1. Il part ou il *arrive* ?

2. La réunion se termine ou elle .... ?

3. En principe, il est en avance ou en .... ?

4. Ce magasin ouvre ou il .... ?

5. Les bureaux sont ouverts ou .... ?

B. Grammaire

5 Complétez les phrases avec les verbes suivants.
commencer / finir / ouvrir / fermer.

1. Dans la rue du Commerce, les magasins **ouvrent** à 9 heures.

2. Ils .... à 19 heures.

3. Chez KM2, les réunions .... à l'heure et .... à l'heure.

4. La poste .... à 8 heures et .... à 19 heures.

5. Le cours de français .... à 13 heures et .... à 15 heures.

6 Complétez en utilisant un adjectif démonstratif : *ce, cet, cette* ou *ces*.

1. – Tu connais *ce monsieur* ?

– Oui, c'est monsieur Bosse, le nouveau directeur.

2. – À qui sont .... ?

– Ce sont les lunettes de madame Lefort.

3. – À quelle heure commence .... ?

– À quinze heures, comme la réunion d'hier.

4. – Qu'est-ce que vous pensez de .... ?

– À mon avis, c'est le meilleur hôtel de la ville.

7 Complétez ce dialogue avec un adjectif démonstratif.

– Vous connaissez .... restaurant ?

– Oui, c'est le Diamant rose.

– Et .... femme, en robe rouge,

qui est-ce ?

– C'est la propriétaire du restaurant.

– Et .... jeune homme, qui est-ce ?

– C'est le serveur.

– Et .... gens-là ?

– Ce sont les clients, bien sûr.

C. Communication

8 Vous connaissez *Le Diamant rose* ?

> *Le Diamant rose* est un restaurant chinois parisien. Il se trouve 6, avenue Montparnasse, à Paris. Il est ouvert de 11 h 30 à 15 heures et de 18 h 30 à 23 heures tous les jours, sauf le mardi. La propriétaire s'appelle Betty Chen. Elle a 52 ans. Elle emploie cinq personnes : deux cuisiniers et trois serveurs. La cuisine est délicieuse.

a. Complétez les questions.

1. *À quelle adresse* → *e*   **a.** a Betty Chen ?

2. Comment → ....   **b.** ouvre et ferme le restaurant ?

3. Quel âge → ....   **c.** s'appelle la propriétaire ?

4. Est-ce que → ....   **d.** le restaurant est ouvert le mardi ?

5. À quelle heure → ....   **e.** *se trouve* **Le Diamant rose** ?

6. Combien de salariés → ....   **f.** emploie *Le Diamant rose* ?

b. Maintenant prenez une feuille. Écrivez les questions de l'exercice a et répondez.

1. – *À quelle adresse se trouve* Le Diamant rose ?

– *Il se trouve 6, avenue Montparnasse, à Paris.*

2. – *Etc.*

Journée de travail

A. Vocabulaire

1 Classez les mots dans le tableau.

la guitare	le billard	le violon	les dominos	la batterie	la contrebasse
	le golf	le poker	les échecs	la flûte	

Jeux	Instruments de musique
....	*la guitare* ....
....	....
....	....

B. Grammaire

2 Conjuguez au présent.

1. Je (*se préparer*) .... en deux minutes et j'arrive.

2. Il (*se peigner*) .... devant la glace.

3. Elles (*se reposer*) .... un quart d'heure, elles sont fatiguées.

4. On (*se retrouver*) .... où ce soir ?

5. Tu (*se coucher*) .... à quelle heure ?

6. Vous (*se maquiller*) .... trop, mademoiselle.

3 Complétez les phrases.

1. Je *m'*appell*e* Julien Picard, j'habite à Bordeaux.

2. Elles .... embrass .... le matin en arrivant au travail.

3. John et moi, on .... parl .... en français.

4. Nous .... retrouv .... demain, comme convenu.

5. Tu .... inquièt .... pour rien.

6. Ces deux frères .... ressembl .... beaucoup.

7. Vous .... douch .... le matin ?

4 Écrivez les phrases de l'exercice 3 à la forme négative.

1. *Je ne m'appelle pas Julien Picard, je...*

2. ....

3. ....

4. ....

5. ....

6. ....

7. ....

5 Complétez avec les verbes suivants :

*dormir / jouer / faire / sortir / **prendre** / regarder.*

1. Le matin, je ***prends*** une douche.

2. Je .... de chez moi à 8 heures du matin.

3. Ils .... une pause pour le déjeuner.

4. Tu .... bien du piano.

5. Ils .... beaucoup la télévision.

6. Elle .... environ 9 heures par nuit.

6 Imaginez et complétez librement.

1. En ce moment, nous sommes à la ....

2. Ce soir, elle sort au ....

3. On est à l' ....

4. Nous revenons du ....

5. Ils arrivent de la ....

C. Communication

7 **Mettez-vous à la place de Laetitia Casta et de Antoine Calvino. Racontez librement votre journée de travail.**

Laeticia Casta, mannequin et actrice	Je m'appelle Laeticia Casta. Je suis mannequin et … ....
Antoine Calvino, cuisinier dans une pizzeria	....

Habitudes

A. Vocabulaire

1 Florence Picard travaille comme assistante commerciale dans une banque. Dites si elle réalise les actions suivantes au travail ou à la maison.

	Au travail	À la maison
1. Florence fait la vaisselle.	☐	☐
2. Elle conseille les clients.	☐	☐
3. Elle assiste à des réunions.	☐	☐
4. Elle fait le ménage.	☐	☐
5. Elle prépare le dîner.	☐	☐
6. Elle regarde la télévision.	☐	☐
7. Elle fait des heures supplémentaires.	☐	☐
8. Elle range son bureau avant de partir.	☐	☐
9. Elle parle à un client.	☐	☐
10. Elle prend son petit déjeuner avec son mari.	☐	☐

2 Complétez avec un verbe approprié.

1. Elle as.............................. à des réunions.
2. Elle l.............................. les journaux.
3. Elle ma.............................. au restaurant le midi.
4. Elle vo.............................. à l'étranger.
5. Elle éc.............................. la radio.

6. Elle f.............................. la cuisine.
7. Elle so.............................. du travail vers 18 heures.
8. Elle éc.............................. des lettres et des emails.
9. Elle pr.............................. des cours de tennis.
10. Elle re.............................. chez elle après le travail.

3 Classez ces activités dans le tableau.

> *aller à l'opéra*   faire la lessive   envoyer un mail   aller au théâtre   faire la cuisine
> jouer au basket   essuyer la vaisselle   faire du vélo   rédiger un rapport   voir des expositions
> faire du ski   répondre au téléphone   répondre au courrier
> faire du jogging   ranger la chambre   jouer d'un instrument

Activités culturelles	Activités sportives	Travail de bureau	Tâches ménagères
aller à l'opéra	....	....	....
....	....	....	....
....	....	....	....
....	....	....	....

4 Ajoutez une activité dans chaque colonne de l'exercice 3.

....	....	....	....

B. Grammaire

5 **Mettez dans l'ordre.**

1. quelquefois / Je / une / sieste / fais / . → ***Je fais quelquefois une sieste.***

2. ne / concert / va / On / au / jamais / . → ....

3. jouons / parfois / Nous / au / tennis / . → ....

4. Je / rarement / restaurant / vais / au / . → ....

5. prends / souvent / très / Je / l'avion / . → ....

6. Elle / se / jamais / ne / maquille / . → ....

7. Tu / retard / toujours / es / en / . → ....

6 **Transformez comme dans l'exemple. Attention à la négation !**

1. Il utilise son ordinateur. (*pas souvent*) → ***Il n'utilise pas souvent son ordinateur.***

2. Il se lève avant 8 heures. (*jamais*) → ....

3. Elle fait son travail. (*pas toujours*) → ....

4. Il se repose le week-end. (*pas souvent*) → ....

5. Elle est dans son bureau. (*jamais*) → ....

6. Ils font la fête. (*rarement*) → ....

C. Communication

7 **Expliquez pourquoi.**

1. ***Je ne vais jamais à la campagne*** → ***d***

2. Je vais rarement chez le médecin → ....

3. Je vais parfois à la piscine → ....

4. Je vais souvent au concert → ....

5. Je me lève toujours tard → ....

a. parce que je ne travaille jamais le matin.

b. parce que j'aime bien nager.

c. parce que j'aime la musique.

d. *parce que j'ai peur des vaches.*

e. parce que je suis toujours en bonne santé.

8 **Trouvez la réponse.**

1. ***Vous aimez lire ?*** → ***e***

2. Vous aimez la musique ? → ....

3. Vous faites du sport ? → ....

4. Vous arrivez tard au bureau ? → ....

5. Vous allez au théâtre ? → ....

6. Vous allez comment au travail ? → ....

a. Rarement, je préfère le cinéma.

b. Je joue quelquefois au tennis.

c. Oui, je vais souvent au concert.

d. Toujours en voiture.

e. *Non, je ne vais jamais à la bibliothèque.*

f. Oui, le plus souvent après dix heures.

9 **Répondez aux six questions de l'exercice 8. Utilisez des adverbes de fréquence.**

1. ....

2. ....

3. ....

4. ....

5. ....

6. ....

4 Mois et saisons

A. Vocabulaire

1 Numérotez les mois de l'année.

☐ mars   **1** janvier   ☐ août   ☐ mai

☐ novembre   ☐ octobre   ☐ février   ☐ juin

☐ septembre   ☐ juillet   ☐ décembre   ☐ avril

2 Maintenant écrivez les 12 mois de l'année dans l'ordre.

1. ....   4. ....   7. ....   10. ....

2. ....   5. ....   8. ....   11. ....

3. ....   6. ....   9. ....   12. ....

3 Quelles sont les quatre saisons de l'année ? Complétez.

1. Le p _ _ _ _ _ _ _ _   3. L'a _ _ _ _ _ _ _

2. L'é _ _ _   4. L'h _ _ _ _ _

4 Répondez par le contraire.

1. Il fait beau ?   → Non, au contraire, ***il fait moche.***

2. Le ciel est bleu ?   → Non, au contraire, ...

3. Le temps est sec ?   → Non, au contraire, ...

4. Il fait chaud ?   → Non, au contraire, ...

5. Vous aimez la chaleur ? → Non, au contraire, ...

5 Cochez la bonne réponse.

1. Il fait froid ?

☐ Oui, il y a des nuages.

☐ Oui, il gèle.

2. Le soleil brille ?

☐ Oui, il fait gris.

☐ Oui, il fait un temps splendide.

3. Il pleut ?

☐ Non, il neige.

☐ Non, il fait humide.

4. Il fait combien ?

☐ Environ 15 degrés.

☐ On est le 12.

5. Il fait nuit ?

☐ Non, il fait jour.

☐ Oui, nous sommes jeudi.

6. Tu travailles lundi ?

☐ Non, c'est un jour férié.

☐ Oui, je suis en congé.

7. Quel temps fait-il ?

☐ Il est dix heures.

☐ Il fait moche.

8. Tu entends le tonnerre ?

☐ Oui, c'est un orage.

☐ Oui, c'est le printemps.

9. Il fait quelle température ?

☐ Moins 3.

☐ Il y a du soleil.

10. Tu connais la date ?

☐ On est en été.

☐ On est le 5 juillet.

B. Grammaire

6 **Complétez avec** *en, au* **ou** *le.*

1. Je suis né .... 1985.

2. Ils arrivent .... 1er septembre.

3. Les cours se terminent .... juin.

4. Je pars .... hiver.

5. Tu reviens .... combien ?

6. Je travaille .... mois d'août.

7 **Complétez librement par un indicateur de temps.**

1. Je suis né(e) ....

2. Je prends des vacances ....

3. Il fait froid ....

4. Il pleut ....

5. Il ne neige jamais ....

6. Dans mon pays, ... sont des jours fériés.

C. Communication

8 **Lisez le texte ci-dessous. Puis complétez ce texte avec les phrases suivantes.**

1. Les Bazin travaillent trois ou quatre heures par jour.

2. Ils s'en vont et reviennent en mars, au printemps, avec le beau temps.

3. Ce restaurant s'appelle *La Crêperie du lac*.

4. Les Bazin travaillent douze heures par jour.

La Crêperie du lac

Monsieur et madame Bazin ont un petit restaurant à Priziac, en Bretagne.

a. ....

Pourquoi ce nom ? Parce que, dans ce restaurant, les Bazin servent des crêpes, et seulement des crêpes. Et aussi parce que Priziac est un village breton situé au bord d'un lac. À Priziac, il y a beaucoup de touristes en été. Les touristes adorent les crêpes bretonnes. La Crêperie du lac est ouverte toute la journée.

b. ....

En automne, il commence à faire froid et il y a peu de touristes. Alors, la crêperie est ouverte seulement le midi.

c. ....

En hiver, il n'y a pas de touristes à Priziac et La Crêperie du lac est fermée. Pendant l'hiver, les Bazin ne restent pas à Priziac.

d. ....

Rendez-vous

A. Vocabulaire

1 **Numérotez les jours de la semaine.**

☐ jeudi   ☐ mercredi   ☐ vendredi   ☐ mardi

☐ lundi   ☐ samedi   **1** dimanche

2 **Écrivez les jours de la semaine dans l'ordre.**

1. *dimanche*   **3.** ....   **5.** ....   **7.** ....

2. ....   **4.** ....   **6.** ....

3 **Supprimez l'intrus.**

1. mardi – dimanche – ~~novembre~~

2. À bientôt – Bonjour – Cordialement

3. C'est difficile – C'est d'accord – C'est entendu

4. Désolé – Je regrette – Pas de problème.

5. libre – occupé – disponible

6. se voir – se rencontrer – se peigner

7. je note – je déjeune – je dîne

8. c'est urgent – c'est pressé – c'est vrai

9. Vous pouvez ? – C'est possible ? – Il fait quoi ?

10. À quelle date ? – À quel âge ? – À quelle heure ?

4 **Complétez.**

1. Je voudrais pr............................. rendez-vous avec Maître Jacques.

2. Je no .... mes rendez-vous dans mon a.............................

3. Désolé, je ne suis pas li............................. ce jour-là.

4. Quel paresseux ! Il pa .... ses journées au lit.

5. Pouvez-vous con .... l'h............................. du rendez-vous ?

6. Pouvez-vous indiquer votre d............................. et votre l .... de naissance ?

B. Grammaire

5 **Complétez avec le verbe pouvoir.**

1. Vous ne *pouvez* pas venir jeudi ?

2. Qu'est-ce que je .... faire ?

3. On ne .... pas rester après 10 heures.

4. Ils .... arriver vers 19 heures.

5. Pierre et moi .... nous voir lundi.

6. Pas de problème, tu .... téléphoner après 11 heures.

6 Entourez la bonne réponse.

1. Je prends l'avion [jeudi | le jeudi], à 15 heures.

2. Exceptionnellement, je travaille [dimanche | le dimanche].

3. Je vais souvent au cinéma [samedi soir | le samedi soir].

4. Je ne travaille jamais [lundi | le lundi].

5. La semaine prochaine, on se voit [mardi | le mardi] chez les Dupont.

7 Même exercice : entourez la bonne réponse.

1. Est-ce que tu dors bien [la nuit | cette nuit] ?

2. [Le soir | Ce soir], en général, je reste à la maison, mais [le soir | ce soir], je sors.

3. [Le matin | Ce matin], avant d'aller travailler, elle fait un jogging.

4. Regarde comme il fait beau [l'après-midi | cet après-midi], le ciel est tout bleu.

5. [Le soir | Ce soir], on fête l'anniversaire de Pierre.

C. Communication

8 Pour chaque situation, cochez la phrase qui convient.

1. Vous proposez une date.

☐ Le 3 mars, c'est possible ?

☐ Vous êtes libre à quelle heure ?

☐ Qu'est-ce que vous faites en août ?

2. Vous acceptez.

☐ Je regrette.

☐ C'est entendu.

☐ C'est trop tard.

3. Vous refusez.

☐ Malheureusement, je ne peux pas.

☐ Bien sûr.

☐ C'est parfait.

4. Vous confirmez un rendez-vous.

☐ Je vous appelle pour notre rendez-vous.

☐ C'est assez urgent.

☐ On dit donc à 9 heures devant la mairie.

9 Mettez les phrases dans l'ordre.

1. *Mail*

De : Max Berger
A : Michel Sorman
Objet : RE : invitation

☐ Je vais à Londres pour le week-end.

☐ Amitié.

☐ D'abord, merci pour ton invitation.

[1] Cher Max,

☐ Michel

☐ Malheureusement, je ne suis pas à Paris dimanche.

☐ Embrasse Brigitte et les enfants de ma part.

2. *Entretien téléphonique*

☐ **a.** Oui, bien sûr. Quel jour vous convient ?

☐ **b.** Ah, monsieur Berger, comment allez-vous ?

☐ **c.** Bonjour, je suis Max Berger.

☐ **d.** Demain matin, si possible.

☐ **e.** C'est parfait. À demain, alors, au revoir.

☐ **f.** Pas de problème. À 10 heures ?

[1] **g.** Cabinet du docteur Bic, bonjour.

☐ **h.** Mal. Est-ce que je peux voir le docteur Bic cette semaine ?

☐ **i.** Au revoir, monsieur Berger, à demain.

Faire le point

A. Le point de langue

1 On est quelle … aujourd'hui ?
- ☐ année
- ☐ heure
- ☐ date
- ☐ journée

2 On est … octobre.
- ☐ en 6
- ☐ le 6
- ☐ au 6
- ☐ sur le 6

3 Il est neuf heures … cinq.
- ☐ plus
- ☐ et
- ☐ moins
- ☐ de

4 On est en retard, tu peux … dépêcher un peu ?
- ☐ me
- ☐ se
- ☐ te
- ☐ vous

5 J'ai rendez-vous à neuf heures … demi.
- ☐ plus
- ☐ et
- ☐ moins
- ☐ de

6 Il y a du soleil, mais … froid.
- ☐ on fait
- ☐ on est
- ☐ il fait
- ☐ il est

7 Monsieur Bosse est maniaque, il se couche toujours à 10 heures …
- ☐ exactes
- ☐ précises
- ☐ correctes
- ☐ strictes

8 Le matin, il se réveille, il …, il se douche, il se rase et il s'en va.
- ☐ se couche
- ☐ se lève
- ☐ se lave
- ☐ se maquille

9 Il … toujours son petit déjeuner *au Café du Commerce*.
- ☐ fait
- ☐ prend
- ☐ mange
- ☐ ait

10 « Vous connaissez … femme blonde là-bas ? », demande M. Bosse.
- ☐ ce
- ☐ cet
- ☐ cette
- ☐ ces

11 M. Bosse … ses vacances en août.
- ☐ assiste
- ☐ donne
- ☐ fait
- ☐ prend

12 Le 1er mai est un jour …, il ne travaille pas.
- ☐ arrêté
- ☐ vacant
- ☐ férié
- ☐ ouvert

13 Il va … au cinéma, peut-être trois ou quatre fois par semaine.
- ☐ jamais
- ☐ parfois
- ☐ rarement
- ☐ souvent

14 Aujourd'hui, le film est très long, il … trois heures.
- ☐ commence
- ☐ dure
- ☐ finit
- ☐ passe

15 Alors, tu pars ou tu … ?
- ☐ voyages
- ☐ sors
- ☐ restes
- ☐ vas

16 … été, M. Bosse est à Cannes
- ☐ Ce
- ☐ Cet
- ☐ Cette
- ☐ Ces

17 Il … de Cannes le 25 août.
- ☐ est
- ☐ visite
- ☐ revient
- ☐ va

18 … hiver, il reste chez lui, au chaud.
- ☐ A
- ☐ En
- ☐ Au
- ☐ Dans

B. Le point de communication

1 Quelle est la question ?

2 Nous sommes jeudi. Il est 8 heures du soir. D'après l'annonce ci-dessous, le magasin Casseprix est ...

☐ ouvert   ☐ fermé

> Votre magasin **Casseprix**
> est ouvert du lundi au samedi
> de 9 h 00 à 20 h 30 et le dimanche
> de 9 h 00 à 13 h 00

3 Voici une page de votre agenda.

		MAI
7	*Lundi*	12 h 30 Déjeuner au Fromage de Pierre (148 av. Faure, Paris 15)
8	*Mardi*	Férié
9	*Mercredi*	14 h 00 Réunion marketing
10	*Jeudi*	15 h 20 Paris-Rio AF 876
11	*Vendredi*	16 h 00 RV M. Tavares

Vous invitez un client à déjeuner dans un restaurant parisien. Proposez une date et une heure entre le 7 mai et le 11 mai.

....

4 Complétez le mail de Pierre Bosse.

De : Pierre Bosse
A : Sarah Leduc
Date : lundi 07 mars 10 : 23

Objet : Re.............................-vous

Bo ...., Sarah,

Mon avion ar............................. demain

ma......................... à 19 h 30.

Pouvez-vous me ret.............................

mer.............................. matin à 9 heures

à la réception de mon hô............................. ?

Co.............................

Pierre Bosse

5 Rédigez la réponse de Sarah Leduc.

De : Sarah Leduc
A : Pierre Bosse
Date : lundi 07 mars 10 : 42
Objet : RE : rendez-vous

....
....
....
....

Je vous attendrai à la réception.

....
....

voyage

1 À l'hôtel

A. Vocabulaire

1 Complétez.

	Ascenseurs		Accès pour les p .... handicapées
	A........................... de compagnie acceptés		Animaux de c .... non a ....
	J........................... pour enfants		Salle(s) de r ....
	T........................... direct dans les chambres		A .... Internet dans les chambres
	T........................... dans les chambres		Chaînes de t .... par câble ou par s ....
	C........................... avec d........................... ou bain		C .... dans les chambres
	P...........................		S .... de s ....
	R........................... à l'hôtel		Court de t ....
	Accueille les g...........................		Équipement pour les s ....

2 Entourez la bonne réponse.

1. Excusez-moi, madame, je [connais / cherche] l'hôtel Astrid.

2. Le bar est [libre / ouvert] 24 heures sur 24.

3. Toutes nos salles sont [équipées / réservées] du matériel le plus moderne.

4. La chambre 56 [donne / fait] sur la cour de l'hôtel.

5. Désolé, nous sommes [complets / disponibles] jusqu'à la fin du mois.

6. Pouvez vous [aider / remplir] cette fiche, s'il vous plaît ?

7. Je voudrais [mettre / régler] ma note tout de suite.

8. Je voudrais une chambre avec deux lits [jumeaux / simples].

B. Grammaire

3 Complétez avec l'adjectif *tout*.

1. Je vous adresse ***tous*** mes vœux pour cette nouvelle année.

2. .... le monde va à l'hôtel.

3. .... cette partie de l'hôtel est fermée.

4. .... nos clients repartent satisfaits.

5. Nous répondons à .... les réclamations.

6. Bien sûr, notre hôtel est ouvert .... l'année.

4 Complétez avec des adjectifs possessifs.

1. Voici v .... clé, monsieur.

2. N .... bijoux sont dans le coffre de l'hôtel.

3. Ils sont à l'hôtel avec l .... enfants.

4. Elle partage s .... chambre avec s .... frère.

5. Vous pouvez préparer n .... note, s'il vous plaît?

6. Regarde, c'est l .... patron!

7. Est-ce que t .... valises sont prêtes?

8. Il y a une piscine dans m .... hôtel.

9. Où sont v .... bagages?

C. Communication

5 Un client réserve une chambre d'hôtel par téléphone. Complétez librement le dialogue.

Réceptionniste: Hôtel Astrid, bonjour.

Client: ....

....

Réceptionniste: Pour quelle date?

Client: ....

Réceptionniste: Et pour combien de personnes?

Client: ....

Réceptionniste: Quel type de chambre souhaitez-vous?

Client: ....

Réceptionniste: La réservation est à quel nom?

Client: ....

Réceptionniste: Avez-vous un numéro de téléphone?

Client: ....

Réceptionniste: Bon, je récapitule ....

....

....

....

....

....

....

2 Itinéraire

A. Vocabulaire

1 **Répondez par le contraire.**

1. C'est au *premier* étage ? – Non, c'est **au dernier étage**.

2. Est-ce que c'est *loin* d'ici ? – Non, c'est ....

3. *Avant* le feu rouge ? – Non, ...

4. C'est *au début* de la rue ? – Non, c'est ....

5. C'est sur le trottoir de *droite*? – Non, c'est ....

6. Ensuite, *je tourne*, n'est-ce pas ? – Non, pas du tout, c'est ....

7. La rue *descend*, je crois. – Non, elle ....

2 **Complétez les verbes.**

1. Qu'est-ce que vous **cherchez** ?

2. Vous al .... dans cette direction.

3. Vous co .... tout droit.

4. Vous tra .... le pont.

5. Vous to .... à gauche.

6. Vous mo .... au cinquième.

B. Grammaire

3 **Faites des phrases avec le verbe à l'impératif.**

1. vous / prendre un taxi → *Prenez un taxi !*

2. tu / ne pas sortir / d'ici → *Ne sors pas d'ici !*

3. vous / faire l'exercice → ....

4. nous / prendre le métro → ....

5. tu / réfléchir un peu → ....

6. tu / ne pas aller là-bas → ....

7. vous / attendre un instant → ....

8. fermer / la porte, s'il te plaît → ....

9. nous / ne pas être méchants → ....

4 **Écrivez en lettres.**

1. la 2e classe → *la deuxième classe*

2. le 50e anniversaire → ....

3. le 19e arrondissement → ....

4. le 1000e candidat → ....

5. le 10e rang → ....

6. le 34e étage → ....

5 Complétez avec le mot entre parenthèses. Attention aux accords !

1. la (*second*) .... fois.

2. la (*premier*) .... classe.

3. la (*cinquième*) .... avenue.

4. les (*premier*) .... résultats.

5. la (*dernier*) .... chance.

6. ces (*dernier*) .... années.

7. le (*troisième*) .... exercice.

C. Communication

6 Choisissez la bonne réponse.

1. Excusez-moi, je cherche la mairie.

☐ Prenez l'ascenseur.

☐ Désolé, je ne sais pas.

2. Excusez-moi, vous connaissez la rue du Bac ?

☐ C'est la première à droite.

☐ Oui, c'est au premier.

3. Le service du personnel, s'il vous plaît ?

☐ C'est au bout du couloir.

☐ C'est sur le trottoir de gauche.

4. Il y a un ascenseur ?

☐ Il est derrière vous.

☐ Oui, au dernier étage.

7 Mettez les phrases du dialogue dans l'ordre.

☐ **a.** C'est au sixième étage.

☐ **b.** Oui, absolument. Vous sortez de l'ascenseur, vous allez à gauche, c'est au bout du couloir.

☐1☐ **c.** Excusez-moi, je cherche le bureau de madame Zimmerman.

☐ **d.** Je vous en prie.

☐ **e.** Ah bon ? Vous êtes sûr ?

☐ **f.** Ah bon ! Merci.

8 Sacha sort du magasin TKV. Regardez le plan ci-contre et répondez à sa question.

> Peux-tu m'expliquer comment aller
> de TKV à la Banque Azur ?
> Sacha

C'est très simple. En sortant de TKV, tu ....

....

....

....

....

....

....

....

3 Déplacements professionnels

A. Vocabulaire

1 Complétez.

1. Chen Yi travaille en Chine, chez SCX, un fabricant de chaussures. Elle va à l'u............................ en vé............................

2. SCX est une ent .... multinationale. Le si .... s .... est à Bruxelles. Le président de SCX s'appelle Alex Kilani.

3. Dans la ville, monsieur Kilani se dé .... avec sa (grosse) vo .... ou en taxi. Il vo .... souvent en Chine.

4. Michèle est vendeuse dans un ma .... de chaussures, à Paris. Elle va au travail en tr .... Le tr .... dure une heure.

B. Grammaire

2 Complétez avec *en, au, aux*.

Où se trouve…

1. Budapest ? – .... Hongrie.

2. Dakar ? – .... Sénégal.

3. Caracas ? – .... Venezuela.

4. Alger ? – .... Algérie.

5. Téhéran ? – .... Iran.

6. Le Caire ? – .... Égypte.

7. Montréal ? – .... Canada.

8. Miami ? – .... États-Unis.

9. Vienne ? – .... Autriche.

10. Manille ? – .... Philippines.

3 Complétez avec *à, au, dans, sur*.

1. L'Espagne est .... sud de la France.

2. La Pologne est .... l'est de l'Allemagne.

3. Saint-Louis est .... centre des États-Unis.

4. Cannes se trouve .... la côte méditerranéenne.

5. Ana habite .... la banlieue de Cannes.

4 Complétez les questions.

1. Tu vas *où* ? – À Madrid.

2. ....? – Avec personne, je pars tout seul.

3. .... est-ce que tu voyages ? En avion ? – Oui, bien sûr.

4. .... coûte le billet d'avion ? – 600 euros, aller-retour.

5. .... est-ce que tu ne vas pas en train ? – Parce que je suis pressé.

6. .... est-ce que tu pars ? – Demain matin.

7. ....? – À 9 heures.

8. Tu restes ....? – Trois jours.

9. .... est-ce qu'on dit « merci » en espagnol ? – On dit *gracias*.

C. Communication

5 Regardez la carte de la France. Situez les villes par rapport à Paris.

1. Lille *est au nord de Paris.*

2. Strasbourg ···
···

3. Bordeaux ···
···

4. Lyon et Genève ···
···

6 Mario travaille à Paris. Sur une feuille séparée, répondez à son message.

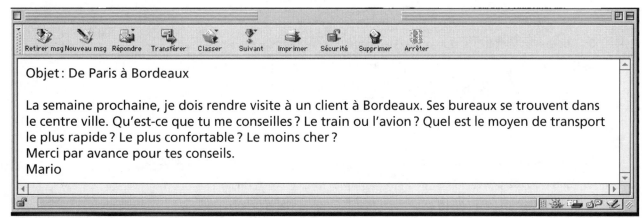

Objet : De Paris à Bordeaux

La semaine prochaine, je dois rendre visite à un client à Bordeaux. Ses bureaux se trouvent dans le centre ville. Qu'est-ce que tu me conseilles ? Le train ou l'avion ? Quel est le moyen de transport le plus rapide ? Le plus confortable ? Le moins cher ?
Merci par avance pour tes conseils.
Mario

4 Conseils au voyageur

A. Vocabulaire

1 Dites le contraire.

Une ville peut être :

1. ennuyeuse ou ***intéressante***.
2. grande ou p ....
3. dangereuse ou s ....
4. propre ou s ....
5. ancienne ou m ....
6. laide ou b ....
7. bon marché ou c ....
8. gaie ou t ....
9. calme ou b ....
10. vivante ou m ....

2 Soulignez le plus grand des deux.

1. un village – ***une ville***
2. un appartement – un immeuble
3. un immeuble – un château
4. une cathédrale – une église
5. un jardin – un parc
6. une rue – une autoroute
7. une autoroute – une route
8. une rue – une avenue
9. un boulevard – un trottoir
10. une boutique – un supermarché
11. un supermarché – un hypermarché
12. un fleuve – une rivière

3 Associez.

1. ***Le transport*** → ***e***
2. Un arrêt → ....
3. Une station → ....
4. Un centre → ....
5. Un feu → ....
6. Un passage → ....
7. Un rond → ....

a. rouge
b. -ville
c. -piétons
d. -point
e. ***public***
f. de métro
g. de bus

4 Entourez le verbe qui convient.

1. Il faut demander | enlever | respecter un visa avant de partir.
2. Sois prudent, conduis | jette | marche sur le trottoir.
3. Tu peux t'adapter | te débrouiller | te renseigner à l'Office du Tourisme.
4. Elle achète | loue | vend son appartement 1 500 euros par mois.
5. Il est interdit de se baigner | se promener | se reposer dans le fleuve.

5 Complétez.

1. Quels sont les ho .... d'o .... des magasins ?
2. Vous pouvez payer en es .... ou par carte ba ....
3. Je connais un hôtel de lu .... situé dans un qu .... chic.

B. Grammaire

6 Qu'est-ce qu'il faut faire dans les situations suivantes ?

1. Vous voulez passer une nuit à l'hôtel Astrid. → *Il faut réserver une chambre.*

2. Vous voulez envoyer une lettre. → ....

3. Vous voulez regarder un film. → ....

4. Vous voulez apprendre le polonais. → ....

5. Vous voulez vendre votre appartement. → ....

6. Vous voulez être célèbre. → ....

7 Complétez les phrases.

1. (*devoir, vous*) → *Vous devez arriver* (*arriver*) à l'heure à vos rendez-vous.

2. (*impératif, tu*) → *Ne sors pas* (*ne pas sortir*) après minuit.

3. (*il faut*) → .... (*écouter*) les conseils du guide.

4. (*il est interdit de*) → .... (*jouer*) au ballon dans la rue.

5. (*devoir, on*) → .... (*se reposer*) un peu.

6. (*devoir, tu*) → .... (*se lever*) à 6 heures du matin.

7. (*impératif, tu*) → .... (*monter*) en haut de la tour Eiffel.

8. (*il ne faut pas*) → .... (*parler*) fort dans l'église.

9. (*impératif, vous*) → .... (*ne pas boire*) ce vin.

10. (*impératif, tu*) → .... (*ne pas oublier*) ma lettre.

C. Communication

8 Un ami français veut visiter votre pays. Répondez à ses questions.

1. Est-ce que j'ai besoin d'un visa ? – ....

2. Comment est-ce que je dois me déplacer :

– dans le pays ? – ....

– à l'intérieur des villes ? – ....

3. Quelles villes faut-il visiter en priorité ? – ....

4. Est-ce qu'on peut fumer partout ? – ....

5. Est-ce que ton pays est sûr ? – ....

6. Est-ce que les gens parlent français ? – ....

7. Est-ce que la vie est chère ? – ....

8. Quel temps fait-il en août ? – ....

9 Reconstituez les questions suivantes de votre ami. Puis répondez.

1. d'ouverture / des magasins / sont / les jours / Quels / et horaires / ?

→ .... ?

– ....

2. pour / les / des / réductions / étudiants / y a-t-il / Dans quel cas ?

→ .... ?

– ....

5 Prendre le train

A. Vocabulaire

1 Mettez dans l'ordre, puis récrivez chaque phrase.

☐ **a.** Il va sur le quai 5.

☐ **b.** Il trouve sa place et il s'assied.

☐ **c.** Il descend du train.

☐1 **d.** Amar achète un billet de train.

☐ **e.** Il monte dans la voiture 18.

☐ **f.** Il arrive à destination.

☐ **g.** Il cherche sa place.

☐ **h.** Il lit un journal pendant le voyage.

☐ **i.** Il sort de la gare.

1. *Amar achète un billet de train.*

2. ....

3. ....

4. ....

5. ....

6. ....

7. ....

8. ....

9. ....

2 Complétez les questions.

1. Vous voyagez en première ou en *seconde* ?

2. C'est le tableau des arrivées ou le tableau des d.............................. ?

3. C'est le train à destination de Genève ou en p.............................. de Genève ?

4. Vous prenez un aller simple ou aller-r.............................. ?

5. Le train s'arrête quelque part ou il est d.............................. ?

6. Alors, qu'est-ce que vous faites, vous montez ou vous d.............................. ?

7. Tu achètes ton billet sur Internet ou au g .... ?

8. Tu payes plein tarif ou tu as une r .... ?

9. Le train va plus loin ou c'est le t .... ?

B. Grammaire

3 Complétez avec les verbes entre parenthèses au présent.

1. Vous (*aller*) *allez* où pour les vacances ?

2. Je (*aller*) .... à Milan en train.

3. Attends une minute, je (*revenir*) .... tout de suite.

4. Ils (*venir*) .... de quel pays ?

5. Tu (*partir*) .... seul ou avec ta famille ?

6. Ils (*prendre*) .... le train tous les jours.

7. Tu (*venir*) .... une seconde ?

8. Vous (*s'arrêter*) .... où ?

9. Ils (*partir*) .... bientôt pour les États-Unis.

10. Le directeur (*venir*) .... en train.

11. Tu (*voyager*) .... comment ? En train ?

12. On (*prendre*) .... le train demain, à 6 heures du matin.

4 Complétez avec les mots proposés.

a. *où / d'où / par où*

1. Tu sors *d'où* ? – Du bureau.

2. Tu vas .... ? – À la poste.

3. Vous passez .... ? – Par Paris.

4. Il s'arrête .... ? – Il ne s'arrête pas, il est direct.

b. *à quel(le) / de quel(le) / par quel(le)*

1. Ton train arrive *à quelle* heure ? – À midi pile.

2. Vous allez .... endroit ? – Je vais dans le Marais.

3. Tu passes .... rue ? – Par la rue Monge.

4. Tu viens .... pays ? – Du Sénégal.

c. *où / d'où / par où / à quel(le) / de quel(le) / par quel(le)*

1. On entre *par quelle* porte ? – Par la porte du fond.

2. Tu arrives .... ? – De chez moi.

3. Vous descendez .... station ? – À Saint-Michel.

4. .... se trouve la gare, s'il vous plaît ? – Au bout de la rue.

5. Vous partez .... terminal ? – Du terminal 2.

6. Il revient .... ? – Par Londres.

C. Communication

5 Vous êtes à la gare de l'Est, à Paris. Un agent SNCF répond aux questions des passagers. **Regardez le tableau des départs. Écrivez les questions des passagers. Il y a plusieurs questions possibles.**

DÉPART

TRAIN N°	HEURE	DESTINATION	VOIE
1724	10 H 46	NANCY STRASBOURG MÜNCHEN	8
1640	10 H 48	METZ LUXEMBOURG	14
1890	10 H 54	REIMS THIONVILLE SARREBRÜCK MANNHEIM	20
1043	10 H 54	ÉPINAL MULHOUSE BÂLE ZÜRICH	12
1775	11 H 02	LUNÉVILLE COLMAR	5

LE NUMÉRO DE LA VOIE EST AFFICHÉ ENVIRON 20 MINUTES AVANT LE DÉPART.

1. *À quelle heure part le train pour Colmar ?* – À 11 h 02.

2. .... ? – De la voie 8.

3. .... ? – Non, il s'arrête à Metz.

4. .... ? – Par Nancy et Strasbourg.

5. .... ? – À Lunéville.

Faire le point

A. Le point de langue

1 **Fais attention, sois ... !**
- ☐ calme
- ☐ prudent
- ☐ libre
- ☐ serviable

2 **Combien coûte le ... de train de Lyon à Paris ?**
- ☐ billet
- ☐ titre
- ☐ ticket
- ☐ papier

3 **Dans son ... de Slovaquie, Peugeot fabrique de petites voitures.**
- ☐ atelier
- ☐ magasin
- ☐ entrepôt
- ☐ usine

4 **Le train part de la ... numéro 4.**
- ☐ classe
- ☐ station
- ☐ gare ☐ voie

5 **..., tout le monde descend !**
- ☐ Arrêt
- ☐ Fin
- ☐ Bout
- ☐ Terminus

6 **Il faut bien connaître son ... de la route pour avoir son permis de conduire.**
- ☐ code
- ☐ manuel
- ☐ droit
- ☐ règlement

7 **Vous habitez dans le centre ou en ... ?**
- ☐ banlieue
- ☐ voiture
- ☐ ville
- ☐ tramway

8 **Il faut présenter une ... d'identité pour tout paiement par chèque.**
- ☐ copie
- ☐ note
- ☐ feuille
- ☐ pièce

9 **Le ... social de Danone est à Paris.**
- ☐ centre
- ☐ château
- ☐ bureau
- ☐ siège

10 **Dans les gares, les voyageurs sont priés de surveiller ... bagages.**
- ☐ ces
- ☐ leur
- ☐ ses
- ☐ leurs

11 **L'Office du tourisme répond à ... vos questions sur la région.**
- ☐ tout
- ☐ tous
- ☐ toute
- ☐ toutes

12 **Sois gentil, ne ... pas tes pieds ici !**
- ☐ mets
- ☐ mettons
- ☐ met
- ☐ mettez

13 **Il est né en ...**
- ☐ Brésil
- ☐ Portugal
- ☐ Inde
- ☐ Vietnam

14 **– ... est-ce qu'il revient ?
– Demain, je crois.**
- ☐ À quelle heure
- ☐ Pourquoi
- ☐ Comment
- ☐ Quand

15 **D'où est-ce que vous ... ?**
- ☐ allez
- ☐ passez
- ☐ arrivez
- ☐ vivez

16 **Il préfère voyager ... train.**
- ☐ à
- ☐ en
- ☐ au
- ☐ le

17 **Excusez-moi, j'ai oublié ... nom.**
- ☐ ton
- ☐ votre
- ☐ tes
- ☐ vos

18 **Pour le visa, tu dois ... au consulat.**
- ☐ m'adresser
- ☐ s'adresser
- ☐ t'adresser
- ☐ vous adresser

B. Le point de communication

1 Complétez la bulle.

En espèces.

2 Complétez ce mail de Camille Lafarge. Il y a plusieurs possibilités.

De : Tour Owel
A : Hôtel Astrid

Objet : Demande d'in...........................

B...........................,
Nous sommes une agence de voyage suisse. Nous organisons un sé........................... à Paris pour un g........................... de 14 personnes.
Nous so........................... réserver 7 c........................... doubles pour trois n..........................., du 12 au 15 avril.
Pouvez-vous nous com........................... vos tarifs et vos conditions de réservation ?
M........................... par avance.
Camille Lafarge

3 Les phrases suivantes sont extraites de la réponse de l'hôtel Astrid à Camille Lafarge. Complétez ces phrases.

1. Nos .... sont de 80 euros par .... et par nuit, petit .... compris.

2. Nos chambres avec .... jumeaux ou .... lit sont équipées d'une salle de .... avec baignoire ou ....
Merci de nous indiquer vos préférences.

4 Pierre Bosse est en voyage d'affaires dans votre pays. Pendant un week-end, il voudrait visiter votre ville. Qu'est-ce que vous lui conseillez ?

....
....
....
....
....
....
....
....
....
....
....
....
....
....
....
....
....
....
....
....
....

5 travail

1 Déjeuner d'affaires

A. Vocabulaire

1 Paul et Jacques entrent dans un restaurant. Mettez dans l'ordre.

- ☐ **a.** Ils laissent un pourboire.
- ☐ **b.** Ils payent l'addition.
- ☐ **c.** Ils passent commande.
- ☐ **1** **d.** Ils s'assoient à une table.
- ☐ **e.** Ils mangent bien.
- ☐ **f.** Ils quittent le restaurant.
- ☐ **g.** Ils consultent la carte.
- ☐ **h.** Ils demandent l'addition.

2 Dites à quelle étape de l'exercice 1 Paul et Jacques ont prononcé les phrases suivantes.

1. L'addition, s'il vous plaît ! → ***h***
2. Avec une carafe d'eau, s'il vous plaît. → ....
3. Alors, qu'est-ce que tu prends ? → ....
4. Vous acceptez les chèques ? → ....
5. Asseyons-nous ici, près de la fenêtre. → ....
6. On laisse combien ? → ....
7. C'est bon, tu ne trouves pas ? → ....
8. On y va ? → ....

3 Supprimez l'intrus.

1. café – ~~bière~~ – thé
2. concombre – riz – tomate
3. agneau – bœuf – thon
4. melon – jambon – saucisson
5. pomme – œuf – poire
6. chou-fleur – gâteau – glace
7. sel – cerise – poivre
8. saumon – sardine – veau
9. camembert – chèvre – pain
10. crevette – crabe – épinard
11. canard – poulet – porc
12. pâtes – lait – yaourt

B. Grammaire

4 Conjuguez les verbes entre parenthèses au présent.

1. Tu (*manger*) ·················· quoi ?
2. Nous (*manger*) ·················· à 8 heures du soir.
3. Je (*boire*) ·················· un litre d'eau tous les jours.
4. Qu'est-ce que vous (*boire*) ....?
5. Ils (*boire*) ·················· beaucoup.

5 **Transformez au futur proche.**

1. Vous partez.　　 → ***Vous allez partir.***

2. Nous sortons.　 → ....

3. Tu viens.　　　 → ....

4. Je me présente. → ....

5. Ils dorment.　　 → ....

6. On s'assied.　　 → ....

6 **Complétez avec *du*, *de l'* ou *de la*.**

1. Ici, le poisson est très bon.　 → Alors, je vais prendre ***du*** poisson.

2. L'ail, c'est bon pour la santé.→ Alors, je mange ································ ail.

3. Elle préfère le riz indien.　　 → Alors, elle achète ································ riz indien.

4. Il aime la bière.　　　　　 → Alors, il boit ································ bière.

5. Il adore l'eau gazeuse.　　　 → Alors, il boit seulement ································ eau gazeuse.

6. Ici, le vin n'est pas cher.　　 → Alors, on prend ································ vin.

7 **Transformez à la forme négative.**

1. Je mets du lait dans mon café. → ***Je ne mets pas de lait dans mon café.***

2. J'aime le poisson.　　　　 → ....

3. Je mange du poisson.　　 → ....

4. Je veux de la moutarde.　 → ....

5. Je connais la cuisine mexicaine. → ....

6. Je bois de l'eau.　　　　 → ....

7. J'aime les frites.　　　　 → ....

8. Je prends des frites.　　 → ....

C. Communication

8 **Vous êtes dans un restaurant français. Le serveur vous pose des questions. Cochez la réponse qui convient.**

1. Vous avez choisi ?

☐ Oui, s'il vous plaît, avec du lait.

☐ Non merci, c'est gentil.

☐ Je vais prendre le menu à 20 euros.

2. Vous prenez un apéritif ?

☐ Je vais prendre un cognac.

☐ Si, bien sûr.

☐ C'est quoi, la salade du chef ?

3. Qu'est-ce que vous prenez en entrée ?

☐ La tarte aux fraises.

☐ Une soupe à l'oignon.

☐ Un steak bien cuit, s'il vous plaît.

4. Et comme plat ?

☐ Des frites, s'il vous plaît.

☐ Je vais prendre le canard à l'orange.

☐ Pour moi, le plateau de fromages.

5. Qu'est-ce que vous prenez avec le poisson ?

☐ Une crème caramel, s'il vous plaît.

☐ Un morceau de roquefort, c'est très bien.

☐ Du riz.

6. Vous prenez un fromage ?

☐ Oui, un petit chèvre pour moi.

☐ Non, je préfère le camembert.

☐ Vous avez quel parfum ?

2 Appel téléphonique

A. Vocabulaire

1 **Mettez dans l'ordre.**

- ☐ **a.** Nous parlons.
- ☐ **b.** Je compose le numéro.
- ☐ **c.** Je raccroche.
- 2 **d.** J'attends la tonalité
- ☐ **e.** Mon correspondant décroche.
- 1 **f.** Je décroche.
- ☐ **g.** Le téléphone sonne.

Je décroche.   Le téléphone sonne.   Je raccroche.

2 **Entourez le mot qui convient.**

1. Le téléphone sonne, je rappelle | raccroche | décroche .

2. Il n'est jamais là, on tombe toujours sur son répondeur | annuaire | adresse .

3. Composez le numéro et appuyez sur le numéro | le téléphone | la touche étoile (*).

4. Elle est en réunion, pouvez-vous patienter | rappeler | joindre un peu plus tard ?

5. Je peux laisser | parler | dire un message ?

6. Je voudrais passer un coup de fil | fax | mail ?

3 **Complétez les mots.**

1. Bonjour, c'est Anne Lepage à l'ap ....

2. Vous êtes bi .... monsieur Bert ?

3. Voulez-vous l .... un message ?

4. Je voudrais une information con .... l'affaire Cerise.

5. Vous pouvez j .... monsieur Bert ce soir, à partir de 17 heures.

6. Vous pouvez com .... sur moi, madame Lepage.

B. Grammaire

4 **Complétez avec me (m'), te (t'), nous, vous.**

1. Ce soir, on dîne chez les Dupont. Ils .... invitent souvent.

2. Je .... apprécie beaucoup, vous et votre collègue.

3. Nous ne .... croyons pas, tu ne .... dis pas la vérité.

4. Est-ce que je peux .... aider, madame ?

5. Pierre .... attendra à la gare. À quelle heure arrive ton train ?

6. Je ne comprends pas, vous pouvez .... expliquer ?

7. Vous pouvez .... attendre ? On arrive dans cinq minutes.

8. Je .... ramène chez toi en voiture, si tu veux.

9. Mesdames, messieurs, je .... remercie pour votre attention.

10. Je ne .... entends pas, tu peux parler plus fort ?

5 Complétez avec *le, la, l', les*.

1. – Vous parlez espagnol ?

   – Je *le* comprends, mais je ne .... parle pas.

2. – Qu'est-ce que tu penses de la nouvelle directrice ?

   – Je .... aime bien, pas toi ?

3. – Tu parles souvent à Sarah ?

   – Oui, je viens de .... avoir au téléphone.

4. – Alors, prends une décision, tu prends quelle veste, la noire ou la grise ?

   – Je .... achète toutes les deux.

5. – Monsieur Bosse a une secrétaire sympathique, tu ne trouves pas ?

   – C'est vrai, mais il .... traite mal.

6 Transformez au passé récent (*venir de* + *infinitif*).

1. Nous partons. → ***Nous venons de partir.***

2. Il pleut.   → ....

3. Vous dormez. → ....

4. Tu te reposes. → ....

5. Je me lève.   → ....

6. Ils reviennent.   → ....

7. Tu payes.   → ....

8. On arrive.   → ....

9. Ils se disputent. → ....

10. Elle appelle.   → ....

C. Communication

7 Vous êtes au téléphone. Cochez la bonne réponse.

1. Société Lefort, bonjour !

☐ Bonjour, je suis monsieur Bernadin.

☐ Salut, je suis monsieur Bernadin.

2. Je pourrais parler à monsieur Bert ?

☐ Bert, il est pas là.

☐ Monsieur Bert est absent pour la journée.

3. C'est de la part de qui ?

☐ C'est moi.

☐ C'est Félix à l'appareil.

4. Je vous passe monsieur Bert.

☐ Merci.

☐ Okay.

5. Je suis bien au restaurant *La Casserole* ?

☐ Désolé, vous faites erreur.

☐ Vous voulez manger quoi ?

6. Est-ce que madame Bert est là ?

☐ Ça dépend. Vous êtes qui ?

☐ Vous êtes monsieur… ?

7. Voulez-vous laisser un message ?

☐ Non, je vais rappeler plus tard.

☐ Un instant, je réfléchis une minute.

8. Est-ce que madame Bert a votre numéro ?

☐ Je ne crois pas, elle perd tout.

☐ Je ne suis pas sûr.

8 Complétez cet extrait de conversation téléphonique.

1. – ....

– Je regrette, M. Bert est en déplacement.

2. – ....

– Je suis Anne Lepage, du cabinet Mazard.

3. – ....

– C'est au sujet de l'affaire Cerise.

4. – ....

– Vous pouvez le joindre demain matin.

3 Expérience professionnelle

A. Vocabulaire

1 Mettez dans l'ordre.

☐ **a.** J'ai consulté les offres d'emploi sur Internet.

☐ **b.** J'ai commencé à travailler tout de suite.

☐ **c.** J'ai rempli le formulaire de réponse.

☐ **d.** J'ai trouvé une offre intéressante.

[1] **e.** Mon entreprise a fait faillite et j'ai perdu mon travail.

☐ **f.** J'ai passé un entretien d'embauche.

2 Complétez.

1. J'ai fait mon CV et j'ai écrit une lettre de m ....

2. Je suis dis .... immédiatement. Je peux commencer demain.

3. Je suis le meilleur c .... : intelligent, flexible, motivé.

4. – Excusez-moi, vous g .... combien par mois ?

     – 6 000 euros, j'ai bien négocié mon sa ....

3 Vrai ou faux ?

	Vrai	Faux
1. Il a des notions de français. = Il parle très bien français.	☐	☐
2. Il a une formation de juriste. = Il a étudié le droit.	☐	☐
3. Il n'a pas d'expérience professionnelle. = Il n'a pas travaillé.	☐	☐
4. Il a le sens du contact. = Il aime être seul.	☐	☐
5. Il sait travailler en équipe. = Il aime bavarder avec ses collègues.	☐	☐

B. Grammaire

4 Dites si c'est au présent ou au passé.

	Présent	Passé
1. Il repasse sa chemise tous les matins.	☐	☐
2. Aujourd'hui on a bien travaillé.	☐	☐
3. Il a traversé la rivière à la nage.	☐	☐
4. Elle fait ses courses après le travail.	☐	☐
5. J'ai fait mes études au Canada.	☐	☐

5 Mettez au passé composé.

1. Je signe. → *J'ai signé.*

2. Elle étudie. → ....

3. Tu voyages. → ....

4. Ils entendent. → ....

5. Il neige. → ....

6. Nous choisissons. → ....

7. Vous vieillissez. → ....

8. Je rougis. → ....

9. Il attend. → ....

10. J'achète. → ....

6 Écrivez l'infinitif des participes passés.

a. *boire / connaître / croire / devoir / mettre / offrir / pouvoir /* **pleuvoir** */ savoir / venir*

1. plu → **pleuvoir**

2. bu → ....

3. cru → ....

4. mis → ....

5. su → ....

6. pu → ....

7. dû → ....

8. offert → ....

9. venu → ....

10. connu → ....

b. *avoir / être / faire / mourir / naître / ouvrir / recevoir / traduire / vivre / voir*

1. vu → ....

2. fait → ....

3. ouvert → ....

4. été → ....

5. eu → ....

6. né → ....

7. mort → ....

8. reçu → ....

9. vécu → ....

10. traduit → ....

7 Sur une feuille séparée, écrivez le témoignage de Sarah Gomez au passé.

Sarah GOMEZ, responsable de la production chez ABC: « Bon, alors, aujourd'hui, qu'est-ce que je fais? À 10 heures, je reçois la délégation du Japon. Nous visitons l'usine. À midi, nous déjeunons ensemble à La Casserole. À 14 heures, nous avons une réunion. Les Japonais font des propositions intéressantes. La réunion dure environ une heure et nous signons un contrat. À 15 heures, je vois Dupont. Nous parlons du contrat avec les Japonais. Après, je travaille seule au bureau. Je relis le contrat. Je passe quelques coups de fil (j'appelle Roberto). Je prends l'avion à 18 heures pour l'Italie. Le soir, je dors à Venise (avec Roberto). »

Bon alors, hier…

C. Communication

8 Voici des questions extraites d'un entretien d'embauche. Cochez la meilleure réponse.

1. Quelle est votre formation?

☐ J'ai étudié le droit.

☐ J'ai travaillé comme juriste.

2. Pourquoi avez-vous arrêté vos études?

☐ Parce que j'ai raté mes examens.

☐ J'ai préféré travailler rapidement.

3. Pourquoi voulez-vous changer d'emploi?

☐ Votre offre m'intéresse beaucoup.

☐ Je n'aime pas mon patron.

4. Est-ce que vous connaissez Windox?

☐ Bien sûr, j'ai souvent travaillé avec.

☐ Oui, mais j'aime pas, c'est nul.

5. Est-ce que vous avez des enfants?

☐ Ça ne vous regarde pas.

☐ Oui, j'ai un garçon et une fille.

6. Est-ce que vous savez nager?

☐ Vous avez des questions bizarres.

☐ Bien sûr, pourquoi?

4 Une année au travail

A. Vocabulaire

1 **Entourez le mot qui convient.**

Dix années de Marco après le bac

1. Marco a | passé | fait | pris | son bac à 18 ans.

2. Ensuite, il a étudié le marketing dans une école de | business | commerce | cuisine |.

3. À la fin de ses études, il a fait un | stage | exercice | emploi | de six mois chez KM2.

4. Après ces six mois, KM2 a | reçu | embauché | entré | Marco pour une durée indéterminée.

5. Marco a | passé | habité | vécu | 10 ans chez KM2.

6. Il a changé de | poste | salle | chambre | trois fois.

7. En 2010, il a obtenu une | faveur | promotion | retraite | importante.

8. Il est devenu responsable du | département | travail | service | commercial.

9. Mais le mois dernier, il a | démissionné | quitté | laissé |.

10. Il a décidé de | construire | fermer | créer | son | entreprise | quartier | usine |.

2 **Complétez.**

Nouvelle nomination chez KM2

1. Léo Van de Mole est le nouveau res .... de la comptabilité chez KM2.

Il re .... madame Martin, 65 ans, qui a pris sa re ....

2. Léo Van de Mole a fait des ét .... de comptabilité. Il a travaillé plusieurs

années au se .... comptable de KM2.

3. Léo Van de Mole est heureux d'avoir obtenu ce po .... de responsa-

bilité. « C'est une belle pro .... », a-t-il déclaré.

B. Grammaire

3 **Soulignez les verbes qui se conjuguent avec *être* au passé composé.**

appeler	savoir	***venir***	monter	tomber	chanter
naître	vivre	mourir	finir	prendre	devenir
avoir	être	arriver	entrer	acheter	rester
sortir	partir	voyager	aller	envoyer	dormir

4 **Entourez la bonne réponse.**

1. Elle est | tombé | tombée | tombés | tombées | dans l'escalier.

2. Ils ne sont pas | rentré | rentrée | rentrés | rentrées | de vacances.

3. Hier soir, Paul et Sarah sont | passé | passée | passés | passées | à la maison.

4. Les sœurs Brunel sont | devenu | devenue | devenus | devenues | des stars de cinéma.

5. Monsieur Morin est | monté | montée | montés | montées | au troisième étage.

5 Complétez avec *avoir* ou *être*.

1. Je *suis* né le 13 mars 1989.

2. Elle .... épousé son assistant.

3. Ils .... licencié le comptable.

4. Vous .... arrivé quand ?

5. Tu .... revenue quel jour ?

6. Il n' .... pas compris la question.

7. Je .... resté deux jours à Paris.

8. Nous .... acheté une maison.

9. Ils .... créé leur entreprise.

10. Vous .... passé par Varsovie ?

11. Elle n' .... pas allée au travail.

12. Il .... devenu directeur.

6 Faites des phrases au passé.

Où est-ce qu'ils sont allés cette année ?

1. Mes voisins / déménager / à Lyon. → **Mes voisins ont déménagé à Lyon.**

2. Adrien / faire un voyage en Inde. → **Adrien** ....

3. Les Dupont / partir à l'étranger. → ....

4. Moi, je / rester à Paris. → ....

5. Et vous, vous / aller où ? → ....

6. Nous, on / ne pas partir non plus. → ....

C. Communication

7 Associez les questions et les réponses.

1. **Vous êtes sortis hier soir ?** → **c**   a. Oui, ça y est, on a terminé.

2. Vous avez éteint ? → ....   b. Oui, je suis passé au standard.

3. Vous êtes entrés à l'intérieur ? → ....   c. **Non, on est resté à la maison.**

4. Vous avez changé de poste ? → ....   d. Non, j'ai laissé allumé.

5. Vous avez fini ? → ....   e. Non, j'ai fait des cauchemars.

6. Vous avez bien dormi ? → ....   f. Oui, mais elle n'a pas répondu.

7. Vous avez écrit à madame Bert ? → ....   g. Oui, on est allé au Mexique.

8. Vous avez reçu la facture ? →   h. Non, on est resté dehors.

9. Vous avez eu du beau temps ? →   i. Oui, j'ai déjà payé.

10. Vous avez voyagé ? →   j. Non, il a plu toute la semaine.

8 Complétez les bulles avec des questions et des réponses de l'exercice 7.

5 Courrier électronique

A. Vocabulaire

1 **Classez ces expressions de la plus formelle à la moins formelle.**

1. *Pour commencer un mail.*

☐ **a.** Salut, Paul,

☐ **b.** Bonjour, Paul,

☐ **c.** Cher collègue,

☐ **d.** Mon chéri,

1 **e.** Monsieur,

2. *Pour terminer un mail*

☐ **a.** Meilleures salutations

☐ **b.** Amitiés

☐ **c.** Cordialement

☐ **d.** Je t'embrasse

☐ **e.** Salutations respectueuses.

2 **Ces phrases sont extraites de différents mails. Complétez les mots incomplets.**

1. J'espère que vous al .... bien.

2. Je vous en .... en pièces jointes le programme du séminaire.

3. Nous vous rem .... de votre candidature.

4. Pouvez-vous me répondre dans les meilleurs dé .... ?

5. Me ....de bien vouloir m'envoyer votre dernier catalogue.

6. Vous trouverez ci-jo .... un formulaire d'inscription.

3 **Complétez avec les verbes suivants :** *reste / prie / regrette / remercie / espère.*

1. Je vous .... par avance.

2. Je .... de ne pas pouvoir vous donner satisfaction.

3. Je .... dans l'attente de votre réponse.

4. J' .... que cette solution vous conviendra.

5. Je vous .... d'excuser cet incident.

B. Grammaire

4 **Quelle peut être la question ? Utilisez** *est-ce que.*

1. *À quelle heure est-ce que tu prends le train ?*   – Je le prends à 16 heures.

2. .... ? – Oui, je lui ai répondu hier.

3. .... ? – Je leur ai dit la vérité.

4. .... ? – Je la vois demain.

5. .... ? – Ils l'ont livrée jeudi.

5 **Mettez dans l'ordre.**

1. leur / as / Est-ce que / téléphoné / tu / ?   → *Est-ce que tu leur as téléphoné ?*

2. parle / ne / pas / Elle / me / .   → ....

3. peux / me / Tu / ta voiture / prêter / ?   → ....

4. Je / une question / poser / voudrais / vous / → ....

5. un bracelet / Je / pour Noël / ai offert / lui / . → ....

6 Complétez les réponses avec un pronom.

a. *le*, *la*, *l'* ou *lui*?

1. Tu as écrit à *Jacques*?

– Je suis en train de *lui* écrire.

2. Elle a vendu *sa voiture*?

– Oui, elle .... a vendue un bon prix.

3. On laisse un pourboire *au serveur*?

– On peut .... laisser cinq euros.

4. Tu vois *Catherine* bientôt?

– Non, je ne .... vois pas avant l'été.

b. *les*, *lui* ou *leur*?

1. Vous lisez *les journaux*?

– Je .... lis de temps en temps, et vous?

2. Qu'est-ce que vous offrez *au patron*?

– On va .... offrir une cravate.

3. Il a rendu visite *aux Dupont*?

– Oui, il .... a rendu visite hier.

4. Vous invitez *vos collègues* chez vous?

– Oui, je .... invite souvent.

C. Communication

7 Lisez les mails ci-dessous. Où mettez-vous les phrases suivantes?

1. Je vous remercie de nous faire confiance → ....

2. Pouvez-vous me communiquer les horaires? → ....

3. Tout doit disparaître. → ....

4. Je te le rapporte lundi prochain. → ....

5. Heureusement, tout va bien maintenant. → *a*

6. Jonathan n'est pas disponible avant. → ....

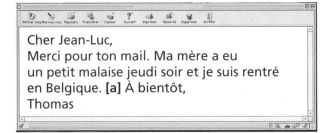

Cher Jean-Luc,
Merci pour ton mail. Ma mère a eu
un petit malaise jeudi soir et je suis rentré
en Belgique. **[a]** À bientôt,
Thomas

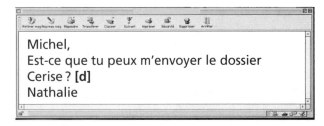

Michel,
Est-ce que tu peux m'envoyer le dossier
Cerise? **[d]**
Nathalie

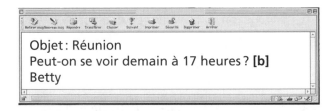

Objet: Réunion
Peut-on se voir demain à 17 heures? **[b]**
Betty

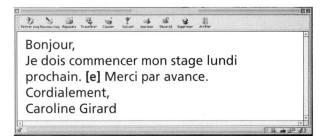

Bonjour,
Je dois commencer mon stage lundi
prochain. **[e]** Merci par avance.
Cordialement,
Caroline Girard

N° de client: 90859376
Monsieur,
Je vous informe que votre commande
est partie aujourd'hui. **[c]**
Bien cordialement
Leila Moussaoui

Objet: Soldes de la semaine

Toutes les lunettes de soleil à prix coûtant.
Des costumes à 39,86 euros. 3 000 paires
de Nike à 29,60 euros. Etc. **[f]**.

Faire le point

A. Le point de langue

1 Il est bien payé, il … beaucoup d'argent.
- ☐ fait
- ☐ perd
- ☐ produit
- ☐ gagne

2 J'ai reçu un … de téléphone du président.
- ☐ appel
- ☐ envoi
- ☐ coup
- ☐ fil

3 Sarah cherche du travail, elle consulte les … d'emploi.
- ☐ demandes
- ☐ offres
- ☐ modes
- ☐ recherches

4 Demain, elle passe un … d'embauche.
- ☐ échange
- ☐ entretien
- ☐ interview
- ☐ questionnaire

5 Chez KM2, le client est … ou remboursé.
- ☐ efficace
- ☐ motivé
- ☐ flexible
- ☐ satisfait

6 Maud a obtenu un … de professeur à l'université de Louvain.
- ☐ métier
- ☐ salaire
- ☐ poste
- ☐ service

7 Merci d'envoyer un CV avec photo et lettre de … à Cécile Bodin.
- ☐ démission
- ☐ motivation
- ☐ licenciement
- ☐ réclamation

8 Tu peux me passer un … de pain ?
- ☐ bouquet
- ☐ morceau
- ☐ litre
- ☐ tas

9 Le fromage, je déteste …
- ☐ ça
- ☐ la
- ☐ le
- ☐ les

10 Moi, je vais reprendre … lapin, c'est délicieux.
- ☐ de
- ☐ un
- ☐ du
- ☐ le

11 Je vais … chercher à l'aéroport.
- ☐ me
- ☐ les
- ☐ lui
- ☐ leur

12 Monsieur Bic ? Je … vois demain.
- ☐ le
- ☐ lui
- ☐ la
- ☐ leur

13 Je … ai téléphoné hier.
- ☐ l'
- ☐ lui
- ☐ la
- ☐ les

14 Pouvez-vous lui dire de … rappeler ?
- ☐ te
- ☐ se
- ☐ me
- ☐ vous

15 Et après tes études, qu'est-ce que tu … faire ?
- ☐ vas
- ☐ es en train de
- ☐ seras
- ☐ viens de

16 Nous, on … travailler en équipe.
- ☐ connaît
- ☐ sait
- ☐ connaissons
- ☐ savons

17 Je ne … pas lire cette lettre, je n'ai pas mes lunettes.
- ☐ connais
- ☐ sais
- ☐ dois
- ☐ peux

18 Vous avez … à quelle heure ?
- ☐ mangé
- ☐ manger
- ☐ mangée
- ☐ mangés

B. Le point de communication

1 Quelle est la question ? Complétez.

.... ?

De la part de Pierre Bosse.

2 Vous trouvez cette annonce sur un site Internet.

SALON DE COIFFURE
recherche
coiffeuse qualifiée
Envoyer CV et lettre de motivation
à mariedupont@kirecrute.com

Répondez-y en complétant le mail suivant. Il y a plusieurs possibilités.

A : Marie Dupont

Objet : ....

Madame,

Je me réfère à votre ....
parue sur le site coif.com pour un poste

de ....

Je vous .... ci-joint mon

.... et une lettre de motivation.

Je me tiens à votre disposition pour un

....

Dans l'attente de votre ....,
je vous prie de recevoir, Madame,

mes meilleures ....

....

3 Nous sommes lundi. Vous déjeunez au *Petit Pêcheur*. Lisez le menu.

Au petit pêcheur

Menu à 18,50 €
(au choix)

Moules marinières
Salade de saumon

Choucroute de la mer
Filet de cabillaud à la crème
Pot-au-feu de la mer et ses petits légumes

Fromage

Dessert maison

Quelle est la spécialité de ce restaurant ?

....

4 Le restaurant *Au petit pêcheur* propose également un menu à 14,50 €.

Au petit pêcheur

Menu à 14,50 €

1 entrée + 1 plat
ou
1 plat + un dessert

à choisir dans le menu à 18,50

Dites si, avec ce menu à 14,50 euros, vous pouvez commander :

	Oui	Non
1. un fromage	☐	☐
2. une salade de saumon avec des moules	☐	☐
3. du cabillaud et un dessert	☐	☐
4. des moules et un dessert	☐	☐

6 problèmes

1 Qu'est-ce qui ne va pas ?

A. Vocabulaire

1 Supprimez l'intrus.

1. je démissionne – je pars – ~~j'entre~~

2. je me préoccupe – je me tracasse – je me concentre

3. il est dans la lune – il est distrait – il est au bureau

4. je suis disponible – je suis prise – je suis occupée

5. elle est embauchée – elle est licenciée – elle est virée

6. ils divorcent – ils se marient – ils se séparent

7. je suis content – je suis satisfait – je suis déçu

2 Entourez le mot qui convient.

1. Il y a un ⏍échange⏎ changement ⏍change⏎ dans le programme : on ne part plus.

2. Qui est-ce qui ⏍remplace⏎ envoie ⏍perd⏎ le directeur pendant son absence ?

3. C'est une question difficile, je dois ⏍réfléchir⏎ trouver ⏍rêver⏎ un peu.

4. C'est un bon diplomate, il sait ⏍trafiquer⏎ vendre ⏍négocier⏎.

5. Il y a du bruit, j'ai du ⏍temps⏎ retard ⏍mal⏎ à entendre.

B. Grammaire

3 Posez les questions de deux manières sur le mot souligné.

1. <u>Sarah</u> connaît le président.

– *Qui connaît le président ?*

– *Qui est-ce qui connaît le président ?*

2. J'ai vu le <u>directeur</u>.

– *Tu as vu qui ?*

– *Qui est-ce que tu as vu ?*

3. Il écrit des <u>poèmes</u>.

– *Il écrit quoi ?*

– *Qu'est-ce qu'il écrit ?*

4. <u>Paul Leduc</u> habite ici.

– .... ?

– .... ?

5. <u>Je</u> peux faire ce travail.

– .... ?

– .... ?

6. <u>Personne</u> ne veut répondre.

– .... ?

– .... ?

7. Ils attendent le <u>conférencier</u>.

– .... ?

– .... ?

8. Je bois <u>de l'eau gazeuse</u>.

– .... ?

– .... ?

9. Ils ne font <u>rien</u>.

– .... ?

– .... ?

10. Il n'aime <u>personne</u>.

– .... ?

– .... ?

4 **Mettez dans l'ordre.**

1. n' / rien / Je / dit / ai / .   → *Je n'ai rien dit.*

2. rien / rien / a / n' / Il / vu / entendu / . → ....

3. ne / jamais / personne / voit / Il / . → ....

4. ce / soir / est / Personne / n' / venu / → ....

5. à / a / Il / n' / personne / parlé / . → ....

6. y / n' / faire / à / a / Il / rien / . → ....

C. Communication

5 **Trouvez la réponse.**

1. *Qu'est-ce qui vous arrive ?*   → *d*   **a.** L'argent, rien que l'argent.

2. Qui est-ce qui vient à la réunion ? → ....   **b.** Moi pas, ça ne m'intéresse pas.

3. Qui est-ce que je dois appeler ? → ....   **c.** C'est l'aspirateur du voisin.

4. Qu'est-ce qui le motive dans la vie ? → ....   **d.** *Je suis tombé dans l'escalier.*

5. Qu'est-ce qu'on achète ? → ....   **e.** Ma lettre de licenciement.

6. Qu'est-ce qui fait ce bruit ? → ....   **f.** Il n'y a pas beaucoup de choix.

7. Qui est-ce qu'ils ont embauché ? → ....   **g.** Appelez monsieur Pelletier.

8. Qu'est-ce que tu lis ? → ....   **h.** Un jeune sans expérience.

6 **Complétez les bulles avec des questions et des réponses de l'exercice 5.**

Contretemps

A. Vocabulaire

1 **Complétez les phrases avec les mots suivants.**

absent   avancé   blessé   dépêché   *énervé*   raté   rendu   reporté

1. Alors, j'ai perdu patience, je me suis *énervé*.

2. Il est tombé dans l'escalier et il s'est .... au bras.

3. Nous avons .... la réunion à la semaine prochaine.

4. Ils ont .... le rendez-vous de 17 heures à 14 heures.

5. J'ai .... mon train, je vais arriver en retard.

6. Désolé, monsieur Pelletier est .... pour la journée.

7. Je me suis .... pour arriver à l'heure.

8. Je me suis .... chez vous à 19 heures précises.

2 **Mettez dans l'ordre.**

☐ **a.** J'ai enregistré mes bagages.

☐ **b.** Je me suis rendu à la porte d'embarquement.

[1] **c.** Je suis arrivé à l'aéroport.

☐ **d.** J'ai embarqué.

3 **Répondez négativement.**

1. – Est-ce qu'elle conduit prudemment ?

– Non, elle conduit *dangereusement*.

2. – Est-ce qu'on a pris la bonne route ?

– Non, on s'est ....

3. – Est-ce qu'ils ont eu leur train ?

– Non, ils l'ont ....

4. – Est-ce que Paul est présent à la réunion ?

– Non, il est ....

5. – Est-ce qu'elle arrive à l'heure ?

– Non, elle est toujours ....

6. – Est-ce qu'ils ont confirmé le rendez-vous ?

– Non, au contraire, ils l'ont ....

B. Grammaire

4 **Choisissez la bonne réponse.**

1. Paul s'est |disputé|disputée|disputés|disputées| avec son patron.

2. Caroline ne s'est pas |habitué|habituée|habitués|habituées| à la vie parisienne.

3. Ils se sont |réuni|réunie|réunis|réunies| pendant trois heures.

4. Alors, les filles, vous vous êtes bien |amusé|amusée|amusés|amusées| hier soir ?

5 **Transformez à la forme négative.**

1. On s'est ennuyé.   → *On ne s'est pas ennuyé.*

2. Je me suis promené.   → ....

3. Nous nous sommes perdus. → ....

4. Tu t'es reposée un peu ? → ....

6 Mettez dans l'ordre.

1. à / se / Ils / sont / Paris / rencontrés / ne / pas / .

→ *Ils ne se sont pas rencontrés à Paris.*

2. du matin / à 11 heures / levé / Je / suis / me / .

→ ....

3. s' / arrêté / minute / On / est / ne / pas / une / .

→ ....

4. de / trompé / Excusez-moi, / je / numéro / me / suis / .

→ ....

7 Écrivez les verbes au passé composé.

1. Quelqu'un (*oublier*) ***a oublié*** son portable dans le magasin.

2. La réunion (*se terminer*) .... avec une heure de retard.

3. Tu (*lire*) .... le journal aujourd'hui ?

4. Désolé, je (*ne pas comprendre*) .... ton raisonnement.

5. Ils (*se disputer*) ...., mais ils (*rester*) .... ensemble.

6. Il (*se tromper*) ...., il (*prendre*) .... le mauvais train.

7. Tu as l'air fatigué, Claire, tu (*se coucher*) .... à quelle heure ?

8. Voyons, messieurs, pourquoi est-ce que vous (*se chamailler*) .... ?

C. Communication

8 Cochez la réponse qui convient.

1. Vous êtes en retard ?

☐ Excusez-moi, je suis pris.

☐ Excusez-moi, j'ai eu un empêchement.

2. On peut se voir jeudi ?

☐ Désolé, je suis en déplacement.

☐ D'accord, je me prépare et j'arrive.

3. Vous êtes disponible le matin ?

☐ Pas avant 11 heures.

☐ Je préfère avancer l'heure.

4. Je dois reporter le rendez-vous.

☐ On s'est vu hier, je crois.

☐ Ce n'est pas grave.

5. Vous vous êtes perdus ?

☐ Non, on s'est trompé de route.

☐ Oui, on s'est trompé de route.

6. Quel est le problème ?

☐ Heureusement, il est disponible.

☐ Il ne peut pas déplacer le rendez-vous.

7. Je voudrais organiser une réunion.

☐ Je ne crois pas.

☐ Le matin ou l'après-midi ?

8. Qu'est-ce qui s'est passé ?

☐ Je suis tombé sur un embouteillage.

☐ Je suis en déplacement toute la journée.

9 Écrivez les questions possibles.

1. – .... ?

– Non, vous vous êtes trompé de numéro.

2. – .... ?

– Je préférerais le matin.

3. – .... ?

– Non, j'ai oublié mon porte-monnaie.

4. – .... ?

– Non, ce n'est pas grave.

5. – .... ?

– Désolé, je suis prise.

6. – .... ?

– Simon vient, mais Paul ne peut pas.

3 Problèmes informatiques

A. Vocabulaire

1 **Connaissez-vous les raccourcis clavier ? Complétez les mots.**

1. S _ L _ C _ I _ N _ E R TOUT   Ctrl + A
2. E _ R _ _ I _ _ _ E R   Ctrl + S
3. C _ U _ E R   Ctrl + X
4. C _ P _ E R   Ctrl + C
5. C _ L _ E R   Ctrl + V

2 **Mettez dans l'ordre.**

☐ **a.** J'ouvre une feuille *Word*.

☐ **b.** J'éteins mon ordinateur.

[1] **c.** J'allume mon ordinateur.

☐ **d.** J'enregistre le document.

☐ **e.** Je ferme le document.

☐ **f.** Je tape mon texte.

3 **Entourez le mot qui convient.**

1. Il faut mettre du papier dans l' imprimante | écran .

2. Je ne peux plus me joindre | connecter à Internet.

3. La société Fimex a créé un blog | site Internet.

4. Je consulte ma messagerie | batterie tous les jours.

5. La touche étoile (*) se trouve à gauche du clavier | disque dur .

6. Quand tu télécharges d'Internet, fais attention aux antivirus | virus !

7. Pour enregistrer, tu peux appuyer | cliquer sur la touche F12.

B. Grammaire

4 **Répondez négativement. Utilisez *ne... plus* ou *ne ... pas encore*.**

1. – Tu as déjà terminé ?

   – Non, je ***n'ai pas encore terminé.***

2. – Cette imprimante fonctionne encore ?

   – Non, elle ....

3. – Est-ce que Lise a répondu à ton mail ?

   – Non, elle ....

4. – Est-ce qu'elle t'écrit encore ?

   – Non, elle ....

5. – Est-ce que ce jeu est déjà disponible ?

   – Non, il ....

6. – Tu peux ouvrir ce fichier, s'il te plaît ?

   – Malheureusement, je ....

5 Complétez ces phrases librement.

1. Si ...., est-ce que je peux imprimer chez toi ?

2. C'est bizarre, quand je fais « copier-coller », ...

3. Si elle ne répond pas au téléphone, ...

4. Si ...., cherche dans le dictionnaire.

5. Si tu passes devant un magasin informatique, ...

6. Je ne comprends pas, quand ...., l'ordinateur s'éteint.

7. .... si j'oublie le mot de passe ?

8. Si tu n'arrives pas à te connecter, ...

9. Si ...., tu peux m'envoyer un mail.

C. Communication

6 Cochez les deux réponses possibles.

1. C'est quoi, le problème ?

☒ *C'est le son, on n'entend rien.*

☐ Non, il n'y a pas de virus.

☐ Je peux entrer le mot de passe.

☒ *Je n'arrive plus à me connecter.*

2. Tu as pris ton portable ?

☐ Non, j'ai oublié.

☐ Non, je l'ai laissé au bureau.

☐ Non, j'ai acheté un clavier.

☐ Non, je veux supprimer des fichiers.

3. Tu connais le mot de passe ?

☐ Non, je n'ai pas d'antivirus.

☐ Non, ça va, merci.

☐ Non, il faut demander à Pierre.

☐ Non, je ne sais plus.

4. Tu as reçu mon message ?

☐ Non, tu l'as envoyé quand ?

☐ Non, mes favoris n'apparaissent pas.

☐ Oui, j'ai appelé la *hotline*.

☐ Je n'ai pas encore regardé mes mails.

5. Vous pouvez me passer votre e-mail ?

☐ Vous avez de quoi noter ?

☐ J'ai installé un nouveau programme.

☐ Demain je vous envoie un mail.

☐ Entrez votre adresse e-mail.

6. Où est le fichier *Cerise* ?

☐ Dans le dossier Clients.

☐ Sur la touche ALT.

☐ Dans l'imprimante.

☐ Sur le bureau.

7. Tu te rappelles le nom du fichier ?

☐ Je ne sais plus.

☐ J'ai oublié de fermer la fenêtre.

☐ C'est la touche F5.

☐ C'est *Cerise*, je crois.

8. Je fais comment pour imprimer ?

☐ Désolé, je n'ai pas d'imprimante.

☐ Tu cliques sur « ok ».

☐ Non, on m'a piraté mon mot de passe.

☐ Éteins l'imprimante !

9. Qu'est-ce que tu télécharges ?

☐ Une mise à jour.

☐ Un virus.

☐ Un antivirus.

☐ Une souris.

10. Tu as éteint l'ordinateur ?

☐ Il n'y a plus de batterie.

☐ Non, pas encore.

☐ Je viens de l'acheter.

☐ Oui, mais il redémarre tout seul.

4 Bricolage

A. Vocabulaire

1 **Supprimez l'intrus.**

1. une marche – ***un fauteuil*** – un escabeau

2. un livre – une vis – un tournevis

3. une lampe – une ampoule – une clé

4. un clou – un marteau – un chiffon

5. une clé – une serrure – une affiche

6. un stylo – un papier – un verre

2 **Complétez les mots.**

1. J'ai mis les clés dans le T _ _ _ _ _ du haut.

2. Gilles est très grand, il peut toucher le P _ _ _ _ _ _.

3. Il n'y a plus de lumière, l'A _ _ _ _ _ _ est grillée.

4. S'il te plaît, prends un C _ _ _ _ _ _ et nettoie les étagères.

5. Ce n'est pas la bonne clé, elle n'entre pas dans la S _ _ _ _ _ _.

6. Je suis monté sur un E _ _ _ _ _ _ _ pour atteindre le haut du placard.

7. Il a vissé toutes les vis avec son petit T _ _ _ _ _ _ _ _

8. Est-ce que tu as fermé le R _ _ _ _ _ _ du gaz ?

9. Où est-ce que tu ranges les outils ? - Dans la B _ _ _ _ à outils.

10. Elle donne des coups de M _ _ _ _ _ _ sur un clou.

11. Roger travaille bien, c'est un bon O _ _ _ _ _ _.

12. Dans la salle de bain, il y a des F _ _ _ électriques partout, c'est dangereux.

13. Tu me passes les outils ? Je voudrais R _ _ _ _ _ _ le vélo.

14. Ne T _ _ _ _ pas le couteau comme ça, tu vas te blesser.

3 **Complétez les phrases avec les mots suivants.**

faites attention	détendez-vous	réveillez-vous	dépêchez-vous	ne vous découragez pas

1. Vous dormez, allez, ...!

2. C'est dangereux, ...!

3. Vous êtes tendu, ...!

4. Mais si, vous allez réussir, ...!

5. On est en retard, ...!

B. Grammaire

4 **Complétez le tableau.**

infinitif	tu	nous	vous
se reposer	*Repose-toi !*	*Reposons-nous* !	*Reposez-vous !*
s'habiller	....	....	....
se dépêcher	....	....	....
s'asseoir	....	....	....
se lever	....	....	....

5 Mettez dans l'ordre.

1. bonjour / lui / de ma part / Dites- / .   → ***Dites-lui bonjour de ma part.***

2. vous / éloignez / Ne / pas / !   → ....

3. devant / moi / Attendez- / chez moi / !   → ....

4. après minuit / m' / pas / appelez / Ne / !→ ....

6 Transformez à l'impératif.

1. Vous lui envoyez un mail.   → ***Envoyez-lui un mail !***

2. Tu te tais, s'il te plaît.   → ....

3. Vous le rangez dans le tiroir.   → ....

4. On se repose un peu.   → ....

7 Mettez à la forme négative.

1. Disons-lui la vérité, mais ***ne lui disons pas*** toute la vérité !

2. Invite-la, mais .... pendant le week-end !

3. Arrêtez-vous, mais .... ici !

4. Assieds-toi, mais .... sur cette chaise !

C. Communication

8 Mettez dans l'ordre.

Dialogue 1

☐ **a.** Je n'arrive pas à l'ouvrir.

[1] **b.** Tu as vu les clés ?

☐ **c.** Tire-le très fort.

☐ **d.** Elles sont dans le tiroir.

Dialogue 2

☐ **a.** Je veux bien.

☐ **b.** Qu'est-ce que je peux faire ?

☐ **c.** Tu veux un coup de main ?

☐ **d.** Tu peux soulever la table ?

Dialogue 3

☐ **a.** Mais elle est propre, cette table.

☐ **b.** Pour nettoyer la table.

☐ **c.** Tu as un chiffon ?

☐ **d.** Pour quoi faire ?

Dialogue 4

☐ **a.** La porte est fermée à clé.

☐ **b.** Sur la table

☐ **c.** Où ça ?

☐ **d.** La clé est sur la table.

9 Regardez le dessin ci-contre. Qu'est-ce que vous dites à Roger ? Choisissez une des phrases suivantes.

1. N'ouvre pas le robinet.

2. Ne coupe pas le fil.

3. Tire-le très fort.

4. Ne te décourage pas.

5. Regarde devant toi.

6. Passe-moi les ciseaux.

7. Fais attention à la marche.

5 Qu'est-ce que vous suggérez?

A. Vocabulaire

1 Complétez les phrases avec les noms de métiers suivants.

agent immobilier   mécanicien   guide   médecin   coiffeur   électricien

plombier   menuisier   dentiste   peintre

1. Tu tousses, tu devrais voir un ....

2. J'ai mal aux dents, j'ai pris rendez-vous chez le ....

3. Pour vendre son appartement, il s'est adressé à un ....

4. Tu as les cheveux trop longs, tu devrais aller chez le ....

5. Il y a une fuite d'eau dans la salle de bain, il faut appeler un ....

6. Pour traverser ces montagnes, un conseil, prends un bon ....

7. Il faut remplacer les fenêtres, on a besoin d'un ....

8. La prise de courant ne marche plus, il faut appeler un ....

9. Il est temps de refaire la peinture du bureau, tu connais un .... ?

10. Ma voiture ne marche pas bien, je vais l'amener chez le ....

2 Cochez ce qui fait problème.

1. ☐ Nora aime son travail.

2. ☒ Elle ne comprend pas le mode d'emploi.

3. ☐ Elle n'a pas assez d'argent sur elle.

4. ☐ Le chauffage ne marche pas.

5. ☐ Son compte en banque est dans le rouge.

6. ☐ Elle a mal au dos.

7. ☐ Elle habite un quartier très agréable.

8. ☐ Elle conduit trop vite.

9. ☐ Son café est froid.

10. ☐ Il n'y a pas d'erreur dans la facture.

11. ☐ Elle s'entend bien avec ses collègues.

12. ☐ Son mari est en bonne santé.

13. ☐ Elle ne supporte plus son mari.

14. ☐ Les toilettes sont sales.

15. ☐ Il y a encore de la place sur ce vol.

16. ☐ C'est un excellent restaurant.

17. ☐ Il manque des chaises.

18. ☐ Nora parle cinq langues.

19. ☐ Elle a trouvé un bon travail.

20. ☐ Elle va arriver en retard.

21. ☐ Elle ne peut pas ouvrir sa porte.

22. ☐ Elle a trouvé la solution.

23. ☐ Cet hôtel est bien situé.

24. ☐ L'ascenseur ne marche pas bien.

25. ☐ Tout va bien.

26. ☐ Je ne sais pas quoi faire.

B. Grammaire

3 Complétez avec le verbe *devoir* au conditionnel présent.

1. Tu es en retard, tu ***devrais*** prendre un taxi.

2. Il est tard, on .... partir.

3. C'est une offre intéressante, ils .... accepter.

4. Il fait beau, vous .... vous promener un peu.

5. Je suis fatigué, je .... me reposer un peu.

6. Il est tard, nous .... rentrer à la maison.

4 **Mettez dans l'ordre.**

1. fait / Il / ici / trop / chaud / .

→ *Il fait trop chaud ici.*

2. assez / pas / n'est / cuit / steak / Ce / .

→ ....

3. n'ai / sucre / de / dans mon café / assez / Je / pas / .

→ ....

4. trop / Cette / élevée / facture / est / .

→ ....

5. Il y a / ce magasin / monde / de / trop / dans / .

→ ....

6. trop / n'as / Est-ce que / tu / pas / bu / ?

→ ....

C. Communication

5 **Complétez les phrases avec un problème de l'exercice 2, page 72.**

1. *Le chauffage ne marche pas*, elle devrait appeler un chauffagiste.

2. ...., elle devrait les nettoyer.

3. ...., elle devrait ralentir un peu.

4. ...., elle ne devrait pas utiliser sa carte de crédit.

5. ...., elle devrait prendre l'escalier.

6. ...., elle devrait passer par la fenêtre.

7. ...., elle devrait divorcer.

8. ...., elle devrait se dépêcher.

6 **Qu'est-ce qu'ils devraient faire ? Suggérez une solution.**

1. Linda se couche tard, elle est toujours fatiguée.

→ *Elle devrait se coucher tôt.*

2. Noémie ne s'entend pas avec son directeur, elle déteste son travail.

→ ....

3. Pierre habite une grande ville, mais il voudrait vivre à la campagne.

→ ....

4. John va travailler à Paris, mais il ne parle pas un mot de français.

→ ....

5. La fenêtre est ouverte, Caroline sent un courant d'air dans le dos.

→ ....

6. Mona tousse parce qu'elle fume trop.

→ ....

7. Son appareil photo est trop gros, il ne rentre pas dans sa poche.

→ ....

8. Catherine est tombée en panne d'essence sur l'autoroute.

→ ....

Faire le point

A. Le point de langue

1 Il est tard. … la lumière, on va dormir.
- ☐ Allume
- ☐ Pousse
- ☐ Éteins
- ☐ Tire

2 Monsieur Mercier est parti,
il a … sa démission.
- ☐ donné
- ☐ mis
- ☐ fait
- ☐ posé

3 Pierre Bosse … monsieur Mercier.
- ☐ bouge
- ☐ remplace
- ☐ pose
- ☐ transporte

4 – Il est sympa, le directeur ?
– Ça dépend … jours.
- ☐ ces
- ☐ des
- ☐ les
- ☐ ses

5 Ton bureau est sale, tu devrais le …
- ☐ jeter
- ☐ casser
- ☐ nettoyer
- ☐ détruire

6 J'ai plein de travail en ce moment, je suis très …
- ☐ libre
- ☐ intelligent
- ☐ disponible
- ☐ pris

7 Laisse …, ce n'est pas important.
- ☐ aller
- ☐ rester
- ☐ partir
- ☐ tomber

8 Il n'y a plus de train, les conducteurs sont en …
- ☐ danger
- ☐ grève
- ☐ retard
- ☐ vacances

9 Dis-moi, qu'est-ce qui ne … pas ?
- ☐ va
- ☐ vais
- ☐ vont
- ☐ vas

10 Tu fais … de spécial ce week-end ?
- ☐ quelqu'un
- ☐ personne
- ☐ quelque chose
- ☐ rien

11 Il est méfiant, il n'a confiance en …
- ☐ quelqu'un
- ☐ personne
- ☐ quelque chose
- ☐ rien

12 Alors, … vient à la réunion demain ?
- ☐ qui est-ce que
- ☐ qu'est-ce que
- ☐ qui est-ce qui
- ☐ qu'est-ce qui

13 Excusez-moi, … trompé de numéro.
- ☐ j'ai
- ☐ je me suis
- ☐ je suis
- ☐ je t'ai

14 Ne … dérangez pas, je travaille.
- ☐ me
- ☐ te
- ☐ lui
- ☐ leur

15 Je ne peux pas faire cet exercice,
c'est … difficile.
- ☐ pas assez
- ☐ trop de
- ☐ assez de
- ☐ trop

16 – Tu devrais relire ton rapport.
– Il est trop tard, je n'ai … le temps.
- ☐ rien
- ☐ encore
- ☐ plus
- ☐ pas encore

17 C'est haut, vous … faire attention.
- ☐ devenez
- ☐ devinez
- ☐ devriez
- ☐ dévorez

18 – Je devrais écrire à Paul.
– Eh bien, …
- ☐ l'écris
- ☐ écris-le
- ☐ lui écris
- ☐ écris-lui

B. Le point de communication

1 Vous partagez un bureau avec un collègue. La fenêtre est ouverte. Il n'y a pas de chauffage. C'est l'hiver. Vous avez froid. Qu'est-ce que vous dites à votre collègue ? Faites deux suggestions.

....

....

....

....

2 Vous êtes dans un magasin. Vous voulez payer quelque chose, mais vous n'avez pas assez d'argent dans votre portefeuille. Qu'est-ce que vous dites au vendeur ? Faites une suggestion.

....

....

....

....

3 Demain, vous avez un rendez-vous chez le dentiste à 9 heures. Votre chef de bureau n'est pas au courant. Qu'est-ce vous lui dites ?

....

....

....

....

4 Vous êtes en retard à la réunion de 9 heures. Expliquez pourquoi.

....

....

....

....

5 L'ordinateur de votre collègue est de nouveau en panne. Donnez-lui un conseil.

....

....

....

....

6 Dans les SMS envoyés sur un téléphone portable, les jeunes utilisent parfois des abréviations.

Exemple : bjr = bonjour

Lisez le message ci-dessous et récrivez-le complètement. Remplacez les abréviations par les mots ou les groupes de mots ci-dessous. Ajoutez la ponctuation.

---

j'ai un problème   je suis désespérée

c'est l'enfer sans toi   maintenant

impossible   je t'appelle dès que je peux

je t'ai acheté un super cadeau   au bureau

je t'aime   je dois rester bosser

---

mon chéri 1posib
de venir mnt G 1
pb au burO j ds
resT boC chuis
DzSPré C l'enfR
100 toi j T HT 1
super Kdo
j'tapLDkej'pe jtem
sarah

Mon chéri,

....

....

....

....

....

....

....

....

....

....

....

....

....

1 Petits boulots

A. Vocabulaire

1 Complétez les phrases avec les mots suivants.

animatrice   baby-sitter   serveuse   standardiste   vendeuse

Nous avions chacune un petit boulot.

1. Julie répondait au téléphone, elle était ....

2. Émilie travaillait comme .... dans un magasin de vêtements.

3. Jacqueline était ...., elle gardait un enfant tous les soirs.

4. Catherine était .... dans un centre de vacances pour enfants.

5. Moi, j'étais .... dans un restaurant, j'étais payée au pourboire.

2 Supprimez l'intrus.

1. un guichet / une banque / un lit

2. un repas / un boulot / un travail

3. une prime / un stage / un pourboire

4. un étudiant / une étudiante / une boutique

5. un employé / un patron / un fauteuil

6. un échec / un succès / une réussite

7. insonorisé / autoritaire / coléreux

8. insulter / rigoler / sourire

3 Complétez les phrases avec des mots de l'exercice 2.

1. S'il vous plaît, faites la queue au .... pour acheter vos billets.

2. Ce bureau est mal ...., on entend tout ce que disent les voisins.

3. Les .... du master doivent faire un .... en entreprise.

4. Elle est vendeuse dans une .... hors taxe de l'aéroport.

5. Chez Fimex, tous les ouvriers ont reçu une .... de fin d'année.

6. Asseyez-vous dans ce ...., vous serez plus à l'aise.

7. Il ne gagne pas beaucoup, c'est un simple .... de bureau.

8. Il prend ses .... dans le restaurant de l'entreprise.

B. Grammaire

4 Complétez le tableau.

Infinitif	Présent	Imparfait
réussir	nous *réussissons*	il *réussissait*
hésiter	nous	nous ....
comprendre	nous	vous ....
recevoir	nous	je ....
lire	nous	elles ....

5 Complétez les phrases comme dans l'exemple.

1. Maintenant, il ne fume plus. Avant, il *fumait* beaucoup.

2. Maintenant, tu ne lis presque plus. Avant, tu .... beaucoup.

3. Maintenant, nous habitons à Lyon. Avant, nous .... à Paris.

4. Maintenant, ils vont au théâtre. Avant, ils .... au cinéma.

5. Maintenant, on écrit des e-mails. Avant, on .... des lettres.

6. Maintenant, il ne boit plus. Avant, il .... du matin au soir.

7. Maintenant, elle joue de la flûte. Avant, elle .... du piano.

8. Aujourd'hui, elle est en forme. Hier, elle .... malade.

9. Aujourd'hui, il veut chercher un travail. Hier, il .... faire des études.

10. Vous prenez vos vacances en juillet. Avant, vous les .... en août.

6 Complétez avec *chaque, chacun* ou *chacune.*

1. Ces cartes postales coûtent 1 euro ....

2. Il travaille .... jour, de 5 heures à 10 heures du matin.

3. .... de nos vendeurs dispose d'une voiture de fonction.

4. Elle porte un verre dans .... main.

5. Mesdames et messieurs, bienvenue à .... et à .... d'entre vous.

C. Communication

7 Voici deux témoignages. Mettez les phrases dans l'ordre.

Le marchand de pop-corn

☐ **a.** Il vendait des hamburgers, des hot-dogs, des frites et des pop-corns.

1 **b.** J'avais 9 ans. Je travaillais dans une foire.

☐ **c.** Je m'occupais de la machine à pop-corn.

☐ **d.** Mon patron s'appelait Lucien Lavergne.

Le vendeur de journaux

☐ **a.** En même temps ils m'achetaient un journal. Quelquefois, je recevais un gros pourboire.

☐ **b.** Ils sortaient de l'église, ils bavardaient.

☐ **c.** J'avais 12 ans. Chaque dimanche matin, je vendais des journaux à la porte de l'église.

☐ **d.** Mes clients étaient surtout des hommes.

2 Faits divers

A. Vocabulaire

1 **Associez.**

1. *Il était très fâché,* → *e*

2. Il avait des dettes, → ....

3. Il était au chômage, → ....

4. Il avait chaud, → ....

5. Il a de la chance, → ....

6. Il était intelligent, → ....

7. C'était un hôtel de luxe, → ....

8. C'était un vieux frigo, → ....

a. il a enlevé son pull.

b. il devait 10 000 euros.

c. il a gagné 10 000 euros au loto.

d. il avait toujours plein d'idées.

e. *il a piqué une colère.*

f. il avait quatre étoiles.

g. il a fini par tomber en panne.

h. il cherchait du travail.

2 **Complétez les phrases avec les mots suivants :**

accident   explosion   intoxication   feu   panne   vol

Une semaine de faits divers

1. Lundi, les enfants d'une cantine scolaire étaient victimes d'une .... alimentaire.

2. Mardi, une voiture ne s'est pas arrêtée au .... rouge, elle a heurté un groupe de cyclistes.

3. Jeudi, il y a eu une .... de gaz dans une usine.

4. Vendredi, c'était un .... à main armée dans une bijouterie.

5. Samedi, il y a eu une .... d'électricité, toute la ville était dans le noir.

6. Dimanche, il y a eu un .... de train à l'intérieur de la gare.

3 **Entourez le bon verbe.**

1. Elle a | lu | rangé | jeté | un tas de vieux journaux à la poubelle.

2. L'usine a fermé, tous les ouvriers ont | cherché | perdu | trouvé | leur emploi.

3. Tu peux me prêter 50 euros ? Je te | dépense | rembourse | règle | demain.

4. Dans cette entreprise, Camille | a besoin | se rappelle | s'occupe | de la comptabilité.

5. Je suis | passé | tombé | devenu | chez toi hier soir, mais il n'y avait personne.

6. J'ai | cassé | réparé | promené | mon vélo, maintenant il marche.

4 **Complétez avec des verbes de l'exercice 3.**

1. – Qu'est-ce que tu as fait du journal d'aujourd'hui ?

– Je l'ai .... dans le tiroir.

2. – Est-ce que Sarah a trouvé un travail ?

– Non, pas encore, elle continue à ....

3. – Tu as 50 euros sur toi ?

– Je les avais, mais je les ai ....

B. Grammaire

5 Associez chaque événement à la situation.

Événements		Situations
1. _Il a dormi au bureau._	→ _b_	**a.** Il était incompétent.
2. L'entreprise l'a licencié.	→	**b. _Il était très fatigué._**
3. Il est arrivé en retard	→	**c.** Il était amoureux.
4. Il a déménagé en province.	→	**d.** Il ne supportait plus Paris.
5. Il s'est marié	→	**e.** Il y avait des embouteillages.

6 Complétez les phrases avec des verbes au passé (passé composé ou imparfait).

1. Hier, Paul .... toute la journée, il .... bien fatigué.

2. Hier, j(e) .... à la maison parce que j(e) .... malade.

3. On .... un sandwich parce qu'on .... faim.

4. Ce matin, elle .... son parapluie parce qu'il ....

5. Madame Dulac .... quand vous .... en réunion.

6. Hier soir, j(e) .... tôt parce que j(e) .... mal à la tête.

C. Communication

7 Le _Journal du Québec_ a publié l'article suivant. Lisez-le. Puis dites à quel endroit de l'article vous placez la phrase suivante.

Son collègue a eu peur, il a fait un pas en arrière, et il est tombé.

MONTRÉAL

Deux blessés légers dans un accident de travail

Un accident de travail a fait deux blessés légers, samedi matin, à Montréal. L'événement est survenu vers 11 heures du matin, dans la rue de l'Hôtel-de-ville.

Deux ouvriers travaillaient à l'extérieur d'un immeuble de trois étages. Quand l'accident est arrivé, tous les deux se trouvaient sur un échafaudage, au niveau du dernier étage. Il faisait beau, mais il y avait du vent.

Une tuile est tombée du toit de l'immeuble sur la tête d'un des ouvriers. « _J'ai eu très mal et j'ai crié très fort_ », a expliqué l'homme, encore sous le choc.

Tous deux, légèrement blessés, ont arrêté le travail et sont allés à l'hôpital en taxi. Ils ont passé des radios. Il n'y avait rien de grave et ils ont pu rentrer chez eux dans la soirée. La commission de Sécurité du travail a ouvert une enquête. ■

3 Une belle carrière

A. Vocabulaire

1 **Mettez dans l'ordre chronologique.**

Monsieur Perrin a fait carrière chez Fimex.

☐ **a.** Il a été embauché comme ingénieur.

☐ **b.** Il a répondu à une offre d'emploi.

☐ **c.** Il a été nommé directeur général de l'entreprise.

1 **d.** Il a fait des études brillantes.

☐ **e.** Il a pris sa retraite.

☐ **f.** Il a pris la direction d'une usine de l'entreprise.

2 **Complétez.**

1. Elle est responsable du se .... recherche et dé ....

2. Dans cette usine on fab .... des meubles en métal.

3. Avant, il était l'adj .... du directeur. Maintenant, c'est lui le directeur.

4. Madame Campana a pr .... sa r .... à l'âge de 63 ans.

5. Elle avait une bonne opinion d'elle-même, elle était un peu pré ....

6. Madame Campana travaillait directement sous la di .... du président.

3 **Complétez les phrases avec *fait, passé, pris*.**

1. Cette année, j'ai ***pris*** mes vacances en septembre.

2. Monsieur Billard a .... un voyage d'affaires au Mexique.

3. Le directeur a .... la décision de reporter la réunion.

4. Florian cherche un travail, il a ··· plusieurs entretiens d'embauche.

5. Les ouvriers ont .... la grève pour obtenir de meilleurs salaires.

6. Son fils a .... ses examens avec succès.

7. Frédéric Lemarc a .... la direction marketing du groupe Aoste.

B. Grammaire

4 **Soulignez les mots que le pronom relatif (qui, que, où) remplace.**

1. Ici, c'est ***le directeur*** qui décide.

2. Pour sa retraite, il est parti dans un pays où il fait chaud.

3. Je connais quelqu'un qui travaille 15 heures par jour, y compris les week-ends.

4. Regarde, c'est l'immeuble où je travaille.

5. J'ai oublié le nom de la personne que je dois rencontrer.

6. L'usine où ils travaillent est très bruyante.

7. Les photos que je regarde me rappellent de bons souvenirs.

8. Excusez-moi, il y a une chose que je voudrais dire.

5 **Complétez avec *qui, que* ou *qu'*.**

Dans l'usine de Fimex, à Montreuil, il y a :

1. un directeur *qui* s'appelle monsieur Perrin ;

2. l'adjoint du directeur .... a seulement 30 ans ;

3. des ouvriers .... sont là depuis 30 ans ;

4. des ingénieurs .... on voit rarement dans les ateliers ;

5. des étudiants .... font un stage de quelques mois ;

6. un comptable .... monsieur Perrin vient d'embaucher ;

7. un gros chien .... garde l'entrée de l'usine ;

8. le gardien .... monsieur Perrin veut licencier.

6 **Trouvez la réponse à chaque question.**

1. *La famille Lemoine habite à Montreuil depuis quand ?*   → *d*   **a.** En une minute.

2. Monsieur Lemoine a travaillé longtemps dans cette entreprise ? → .... **b.** Oui, depuis dix ans.

3. Madame Lemoine travaille dans cette entreprise ?   → .... **c.** Oui, pendant dix ans

4. Leur fils est encore là ?   → .... **d.** *Depuis dix ans.*

5. Et vous, vous êtes nouveau, n'est-ce pas ?   → .... **e.** Oui, je suis arrivé il y a trois jours.

6. Vous avez fait cet exercice en combien de temps ?   → .... **f.** Non, il est parti pour deux ou trois ans.

C. Communication

7 **Reconstituez le discours de monsieur Delarue, directeur général de la société PSX, avec les mots suivants.**

40 personnes	il y a cinq ans	le fruit de votre travail	*messieurs*	a quasiment doublé
il n'y pas eu un seul jour de grève	vous remercier	la moitié de notre production		

Mesdames, *messieurs,*

J'ai pris la direction de PSX ....

....

Depuis mon arrivée, ...

....

Nous avons embauché ....

....

La production ....

....

Nous exportons aujourd'hui ....

....

Je voudrais tous ....

....

Ces résultats sont ....

....

4 Moments de stress

A. Vocabulaire

1 Associez.

1. *Il est très fatigué.* → *c*
2. Il est tombé. → ....
3. Il a perdu patience. → ....
4. Les affaires vont mal. → ....
5. Il fait une chaleur étouffante. → ....

a. On est au bord de la faillite.
b. Il a piqué une crise.
c. *Il a envie de dormir*.
d. On a du mal à respirer.
e. Il s'est cassé la cheville.

2 Entourez la bonne réponse.

1. Les syndicats veulent empêcher supprimer réclamer le patron de licencier.
2. Le président veut faire prendre tenir sa décision tout seul.
3. Dans ce pays, les délais projets impôts sur le revenu sont très élevés.
4. Où étiez-vous ? Je vous ai cherché partout du tout pour tout.
5. Mais non, je ne mens pas, je vous vérifie assure crois.
6. Je ne suis pas sourd, ce n'est pas la peine de raconter pleurer crier.

3 Les situations suivantes sont-elles des situations de stress ?

	Oui	Non
1. Vous avez reçu une lettre de licenciement.	☐	☐
2. Les clients sont contents.	☐	☐
3. Les affaires marchent bien.	☐	☐
4. Votre secrétaire est malade.	☐	☐
5. Les enfants vous empêchent de travailler.	☐	☐

B. Grammaire

4 De quoi s'agit-il ? Associez.

1. *Prends-en un, il va pleuvoir.* → *c*
2. Il en lit un par semaine. → ....
3. Elle en boit un à chaque repas. → ....
4. Vous en mangez un ? → ....
5. Ils en louent un près d'ici. → ....

a. un appartement
b. un biscuit
c. *un parapluie*
d. un verre de vin
e. un roman policier

5 Mettez dans l'ordre.

1. De l'argent ? Il / en / pas / n' / beaucoup / gagne / → Il *n'en gagne pas beaucoup.*
2. Un ordinateur ? Je / d' / un / acheter / viens / en / → Je ....
3. Du café ? Elle / boit / le matin / tasse / une / en / . → Elle ....
4. Des poires ? Tu / kilo / en / un / acheter / peux / ? → Tu ....
5. Des places ? Ils / ont / en / réservé / deux / . → Ils ....

6 Répondez aux questions, en utilisant *le, la, l', les* ou *en*.

1. Vous avez une voiture ? – ....

2. Vous connaissez des Français ? – ....

3. Vous connaissez madame Zimmerman ? – ....

4. Vous buvez du thé au petit déjeuner ? – ....

5. Vous aimez cette ville où vous habitez ? – ....

6. Vous avez lu le journal aujourd'hui ? – ....

7. Vous avez beaucoup d'amis ? – ....

8. Vous voyez souvent vos amis ? – ....

7 Complétez ces phrases librement.

1. Je trouve que le nouveau directeur ....

2. Je pense qu'il n' .... encore ....

3. Je crois qu'il .... madame Bosse hier soir.

4. Je sais que Bruxelles ....

5. Je crois que l'argent ....

6. À mon avis, ...

C. Communication

8 Expliquez les situations 2 et 3.

| 1. *Il est 14 heures. Max est encore dans un taxi. Il y a des embouteillages et le taxi n'avance pas. Il a peur de rater son avion.* | 2. .... | 3. .... |

5 Demain sera un autre jour

A. Vocabulaire

1 **Complétez les mots.**

1. Je ne comprends pas ce que vous vou............................. di.............................

2. Si ça ne vous intéresse pas, on peut ch............................. de suj.............................

3. Comme con............................., je vous envoie le compte rendu de la réunion du 3 mars.

4. Camille parle sans ar............................., on ne peut pas dire un mot.

5. C'est urgent, je dois terminer ce travail dès que po.............................

6. Il ne faut jamais remettre les choses au lendem.............................

7. Le directeur m'a demandé de faire un ra............................. sur l'absentéisme.

8. Ne vous in............................. pas, tout va s'arranger.

2 **Trouvez dans les phrases de l'exercice 1 des mots ou expressions qui signifient :**

1. comme prévu : ***comme convenu***

2. continuellement : ....

3. rapidement : ....

4. reporter : ....

5. rentrer dans l'ordre : ....

B. Grammaire

3 **Dites si le sens des phrases est passé, présent ou futur.**

	Passé	Présent	Futur
1. Ils viennent de sortir.	☐	☐	☐
2. Elle arrive dans deux minutes.	☐	☐	☐
3. Qu'est-ce que vous allez faire ?	☐	☐	☐
4. Un jour, je lui dirai la vérité.	☐	☐	☐
5. Désolé, je ne peux pas vous aider.	☐	☐	☐
6. Qu'est-ce que vous avez prévu ?	☐	☐	☐
7. Ils sont en train de négocier.	☐	☐	☐

4 **Mettez les verbes au futur simple.**

1. Demain, il (*pleuvoir*) .... toute la journée.

2. La réunion (*avoir lieu*) .... à 15 heures dans la salle 12.

3. Je (*faire*) .... ça quand j'(*avoir*) .... le temps.

4. Écoute, il est tard, on (*terminer*) .... demain.

5. C'est promis, je vous (*écrire*) ....

6. Ne t'inquiète pas, je (*être*) .... prudent.

7. J'espère que ça vous (*plaire*) ....

5 Complétez la déclaration de Caroline avec une préposition (*à*, *au*, *chez*, *en*) ou avec *y*.

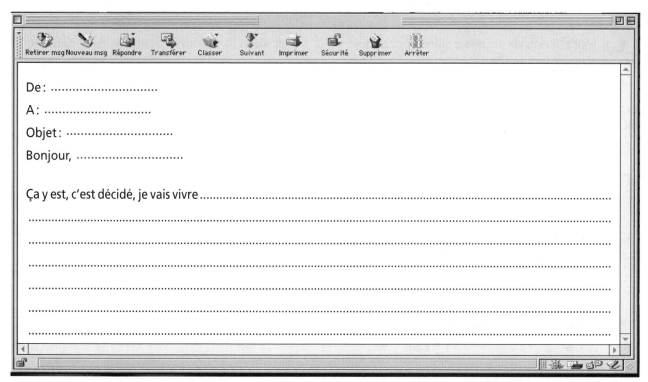

Caroline, assistant commerciale : « Demain, mon patron va ....
Milan, ... Italie. Il .... va tous les jeudis. Jeudi
dernier, il n'a pas pu .... aller parce qu'il était malade. C'est moi
qui .... suis allée à sa place. Lui, il est resté ....
lui, ... lit, toute la journée. »

C. Communication

6 **Vous allez vivre dans un autre pays. Répondez librement aux questions suivantes.**

1. Dans quel pays allez-vous ? Dans quelle ville ?

....

2. Pour quelle raison avez-vous pris la décision de partir ?

....

3. Quand partez-vous ? Pour combien de temps ?

....

4. Qu'est-ce que vous allez faire là-bas ? Est-ce que vous allez travailler ?

....

5. Avec qui partez-vous ?

....

Maintenant écrivez un mail à un(e) ami(e) pour l'informer de ce beau projet.

Retirer msg Nouveau msg Répondre Transférer Classer Suivant Imprimer Sécurité Supprimer Arrêter

De : ....
A : ....
Objet : ....
Bonjour, ...

Ça y est, c'est décidé, je vais vivre ....

....

....

....

....

....

....

Faire le point

A. Le point de langue

1 Il y a une bonne ambiance dans ce bureau, tout le monde ... bien.
- [ ] se voit
- [ ] se promène
- [ ] se dispute
- [ ] s'entend

2 L'entreprise a un nouveau ... Internet.
- [ ] fixe
- [ ] site
- [ ] rapport
- [ ] sujet

3 Il est tombé et il s'est cassé ...
- [ ] l'échelle
- [ ] l'écran
- [ ] le coin
- [ ] le poignet

4 Elle a perdu son emploi, elle ne peut plus rembourser ses ...
- [ ] congés
- [ ] frites
- [ ] dettes
- [ ] impôts

5 Ne ... pas, je ne suis pas sourde.
- [ ] crie
- [ ] rigole
- [ ] dépense
- [ ] souris

6 Elle n'a pas de ..., elle a perdu beaucoup d'argent en bourse.
- [ ] souci
- [ ] valeur
- [ ] chance
- [ ] volonté

7 Il est ... en panne d'essence sur l'autoroute.
- [ ] allé
- [ ] passé
- [ ] devenu
- [ ] tombé

8 Il y a une crise, les ... vont mal.
- [ ] affaires
- [ ] délais
- [ ] produits
- [ ] problèmes

9 Mme Bert ... le service commercial.
- [ ] dirige
- [ ] sert
- [ ] insulte
- [ ] promet

10 Autrefois, en France, des enfants ... dans les usines.
- [ ] travaillais
- [ ] travaillerais
- [ ] travaillaient
- [ ] travailleraient

11 Entendu, je vous ... dans une semaine.
- [ ] téléphoniez
- [ ] téléphonerai
- [ ] téléphonais
- [ ] téléphonerais

12 Charlie est venu et il ... tout de suite.
- [ ] repart
- [ ] repartirait
- [ ] repartait
- [ ] est reparti

13 Nous ... votre lettre du 3 mars.
- [ ] recevons bien
- [ ] avons bien reçu
- [ ] recevions bien
- [ ] recevrons bien

14 Nous ... seulement trois à la réunion de demain : Pierre Bosse, Sarah et moi.
- [ ] sont
- [ ] serons
- [ ] étions
- [ ] seront

15 Voici le rapport ... vous m'avez demandé.
- [ ] que
- [ ] qui
- [ ] qu'
- [ ] où

16 C'est moi qui ... payé, pas lui.
- [ ] ai
- [ ] a
- [ ] as
- [ ] avez

17 Mon père est à la retraite ... 2007.
- [ ] depuis
- [ ] pendant
- [ ] il y a
- [ ] pour

18 Charlie aime les pommes. Il ... a acheté trois kilos.
- [ ] en
- [ ] l'
- [ ] y
- [ ] les

B. Le point de communication

1 Nous sommes lundi. Quels sont vos projets pour la semaine ?

....

....

....

....

....

....

2 Nous sommes vendredi. Votre patron veut savoir ce que vous avez fait cette semaine. Donnez deux informations.

....

....

....

....

....

....

3 Vous rencontrez un ancien ami ou collègue. Vous ne l'avez pas vu depuis plusieurs années. « Quoi de neuf ? », demande-t-il. Donnez deux nouvelles.

....

....

....

....

....

....

4 Un visiteur étranger s'intéresse à l'avenir de votre pays. Faites trois prédictions.

....

....

....

....

....

....

5 Un entretien d'embauche. Donnez trois informations sur vous.

....

....

....

....

....

....

....

6 Suite de l'entretien d'embauche. Dites pourquoi vous avez quitté votre dernier emploi.

....

....

....

....

....

....

7 L'un de vos collègues part en voyage d'affaires. Posez-lui trois questions sur son voyage.

....

....

....

....

....

....

....

8 C'est la fin de votre voyage en France. Remerciez votre hôte pour son hospitalité. Dites-lui ce que vous avez aimé.

....

....

....

....

....

ENTRAÎNEMENT
Diplôme de Français Professionnel A2 (CCIP)

A. COMPRÉHENSION ORALE

 Partie 1

Vous allez entendre sept personnes qui répondent au téléphone. Elles ont un téléphone portable (mobile). Vous devez dire où elles se trouvent.

Pour chaque situation 1 à 7, choisissez la réponse *a* à *g* qui convient. La réponse est donnée pour la situation 1.

Écoutez deux fois.

1.	**a.** À l'aéroport
2...	**b.** Au restaurant
3...	**c.** À la maison
4...	**d.** Dans une voiture
5...	**e.** À la gare
6...	**f.** *Dans la rue*
7...	**g.** Dans un hôtel

 Partie 2

Vous allez entendre quatre brèves communications provenant de lieux différents.
Pour chaque situation 1 à 4, choisissez la réponse *a*, *b* ou *c* qui convient.
Écoutez deux fois.

① Dans une gare

Le message annonce :

a. le départ d'un train.

b. l'arrivée d'un train.

c. le retard d'un train.

② Résultats d'entreprise

Le bénéfice :

a. a augmenté.

b. a baissé.

c. a stagné.

③ Répondeur téléphonique

Le magasin Aubert est fermé le :

a. lundi.

b. mardi.

c. samedi.

④ Fin de réunion

La date de la prochaine réunion est fixée au :

a. 10 octobre.

b. 11 octobre.

c. 12 octobre.

Partie 3

Vous allez entendre sept brèves conversations.

Pour chaque conversation 1 à 7, choisissez la réponse *a*, *b* ou *c* qui convient.

Écoutez deux fois.

① **Le visiteur est :**

 a. espagnol

 b. italien

 c. suisse

② **À quel étage se trouve le bureau de madame Simon ?**

 a. Au 2e étage

 b. Au 3e étage

 c. Au 4e étage

③ **L'homme n'aime pas :**

 a. le patron

 b. les horaires de travail

 c. l'ambiance de travail

④ **La réunion aura lieu dans la salle :**

 a. 202

 b. 203

 c. 204

⑤ **À quelle heure part le vol pour Madrid ?**

 a. 14 h 00

 b. 17 h 30

 c. 19 h 40

⑥ **La femme va :**

 a. appeler le technicien

 b. réparer le photocopieur

 c. faire une affiche

⑦ **Le comptable viendra :**

 a. lundi

 b. mardi

 c. mercredi

Partie 4

Enzo Lambert travaille dans une grande entreprise. La semaine dernière, il a participé à une formation d'une journée sur la communication commerciale.

Vous allez entendre une interview de monsieur Lambert.

Pour chaque affirmation 1 à 6, choisissez la réponse *a*, *b* ou *c* qui convient.

Écoutez l'interview deux fois.

① **Cette formation était obligatoire pour monsieur Lambert.**

 a. Vrai

 b. Faux

 c. Non précisé

② **La formation a eu lieu à Paris.**

 a. Vrai

 b. Faux

 c. Non précisé

③ **Deux hommes et trois femmes ont participé à la formation.**

 a. Vrai

 b. Faux

 c. Non précisé

④ **La formation commençait à 9 heures.**

 a. Vrai

 b. Faux

 c. Non précisé

⑤ **La pause déjeuner était de 12 h 00 à 13 h 00.**

 a. Vrai

 b. Faux

 c. Non précisé

⑥ **Monsieur Lambert est très satisfait de cette formation.**

 a. Vrai

 b. Faux

 c. Non précisé

B. COMPRÉHENSION ÉCRITE

1 Vous organisez un séminaire et vous avez besoin de différents services.

Lisez les informations suivantes sur le Centre de conférences *Alexandre Audebert*.

Pour chaque cas 1 à 5, choisissez le service *a* à *f* dont vous avez besoin.

CENTRE DE CONFÉRENCES

ALEXANDRE AUDEBERT

Soyez au cœur de l'événement

**Pour organiser votre événement,
le Centre de Conférences Alexandre Audebert
vous accueille toute l'année**

Dans un immeuble ultramoderne,
situé en plein centre ville,
le Centre vous offre une palette de services :

a. 1 restaurant gastronomique.
b. 1 salle de réception.
c. 9 salles de réunion modulables.
d. 1 amphithéâtre de 300 places.
e. Support technique.
f. Voiture avec chauffeur.

Réponses

1. Vous voulez organiser un cocktail.   ...
2. Vous ne connaissez pas les équipements électroniques.   ...
3. Vous allez réunir de petits groupes de travail.   ...
4. Vous organiserez une conférence plénière.   ...
5. Vous souhaiter inviter le Président à déjeuner.   ...

2 L'article suivant rapporte les résultats d'une enquête sur la semaine de travail.

Lisez cet article et complétez les phrases 1 à 5 avec la réponse *a*, *b* ou *c* qui convient.

Mardi 11 h 45 : le moment
le plus stressant de la semaine

Une enquête réalisée auprès de 3 000 employés de bureau conclut que le mardi à 11 h 45 est le moment le plus stressant de la semaine. Contrairement aux idées reçues, le lundi ne serait donc pas le pire jour de la semaine.

D'après cette enquête, en effet, les employés commenceraient la semaine en douceur. Le lundi, ils ont tendance à repousser le travail au lendemain. Ils préfèrent passer du temps sur *Facebook* ou regarder les photos du week-end. Ainsi, 53 % des personnes interrogées disent qu'elles sont peu productives le lundi.

Quand le mardi arrive, les travailleurs réalisent qu'ils ont pris du retard et ils commencent à s'inquiéter. Le stress serait particulièrement fort en fin de matinée. Ainsi, une personne sur quatre dit qu'elle doit travailler tard le mardi pour rattraper le travail qui n'a pas été fait le lundi. Le mardi est aussi le jour où on pense à supprimer sa pause déjeuner afin d'avancer son travail.

Cette enquête a été commandée par *Bimuno*, un fabricant de compléments alimentaires (vitamines, minéraux, enzymes, etc.). Est-elle bien sérieuse ? Pas sûr. L'objectif de Bimuno n'est-il pas d'abord de nous convaincre de prendre des vitamines le mardi matin ?

1 D'après cette enquête, les employés de bureau :

   a. ne travaillent pas le lundi

   b. travaillent peu le lundi

   c. travaillent beaucoup le lundi

2 Le mardi, à 11 h 45, les employés de bureau :

   a. arrêtent de travailler

   b. travaillent peu

   c. travaillent beaucoup

3 Le mardi, à 11 h 45, les employés de bureau sont :

   a. inquiets

   b. fatigués

   c. calmes

4 Bimuno :

   a. vend des compléments alimentaires

   b. réalise des enquêtes sociologiques

   c. cultive des fruits riches en vitamines

5 D'après l'auteur de cet article, cette enquête est :

   a. intéressante

   b. objective

   c. suspecte

3 Le courriel ci-dessous concerne un accident du travail.

Lisez ce courriel.

Vous devez remplir le formulaire de la page suivante.

Complétez les mentions manquantes 1 à 10.

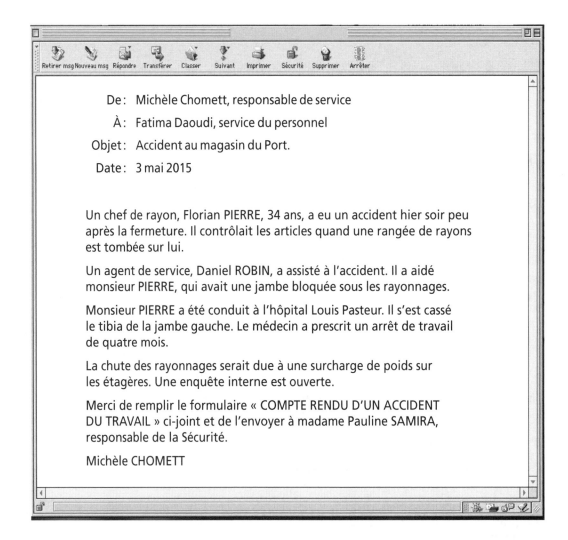

De : Michèle Chomett, responsable de service

À : Fatima Daoudi, service du personnel

Objet : Accident au magasin du Port.

Date : 3 mai 2015

Un chef de rayon, Florian PIERRE, 34 ans, a eu un accident hier soir peu après la fermeture. Il contrôlait les articles quand une rangée de rayons est tombée sur lui.

Un agent de service, Daniel ROBIN, a assisté à l'accident. Il a aidé monsieur PIERRE, qui avait une jambe bloquée sous les rayonnages.

Monsieur PIERRE a été conduit à l'hôpital Louis Pasteur. Il s'est cassé le tibia de la jambe gauche. Le médecin a prescrit un arrêt de travail de quatre mois.

La chute des rayonnages serait due à une surcharge de poids sur les étagères. Une enquête interne est ouverte.

Merci de remplir le formulaire « COMPTE RENDU D'UN ACCIDENT DU TRAVAIL » ci-joint et de l'envoyer à madame Pauline SAMIRA, responsable de la Sécurité.

Michèle CHOMETT

COMPTE-RENDU D'UN ACCIDENT DU TRAVAIL

En cas d'accident du travail, ce formulaire doit être rempli et adressé au responsable de la sécurité.

– Nom de la victime : **Florian PIERRE**   Âge : **34 ans**

– Poste occupé : .... **(1)**

– Date de l'accident : .... **(2)**

– Lieu de l'accident : .... **(3)**

– À quelle heure ou à quel moment l'accident a-t-il eu lieu ?

.... **(4)**

– Que s'est-il passé ? *Une rangée de rayons est tombée sur lui.*

– Que faisait la victime au moment de l'accident ?

.... **(5)**

– La victime a-t-elle été blessée ?   ☒ Oui   ❏ Non

– Si oui, spécifiez le type de blessure :

.... **(6)**

– La victime a-t-elle été conduite à l'hôpital ?   ☒ Oui   ❏ Non

– Si oui, quel hôpital ? .... **(7)**

– Y a-t-il des témoins ?   ☒ Oui   ❏ Non

- S'il y a des témoins, précisez le ou les noms et le poste occupé :

.... **(8)**

- Si elle est connue, précisez la cause présumée de l'accident :

.... **(9)**

- Si la victime ne peut pas reprendre son travail, combien de temps est-elle arrêtée ?

.... **(10)**

Fatima DAOUDI

Service du personnel

4 Le courriel suivant concerne un pot (une petite fête) organisé pour le départ de Floriane, une collègue de travail.

Dîtes si les affirmations *1* à *8* suivantes sont vraies ou fausses. S'il n'y a pas assez d'informations pour répondre, choississez *Non précisé*.

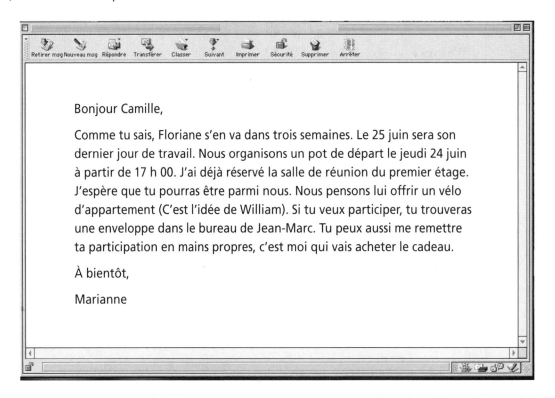

Bonjour Camille,

Comme tu sais, Floriane s'en va dans trois semaines. Le 25 juin sera son dernier jour de travail. Nous organisons un pot de départ le jeudi 24 juin à partir de 17 h 00. J'ai déjà réservé la salle de réunion du premier étage. J'espère que tu pourras être parmi nous. Nous pensons lui offrir un vélo d'appartement (C'est l'idée de William). Si tu veux participer, tu trouveras une enveloppe dans le bureau de Jean-Marc. Tu peux aussi me remettre ta participation en mains propres, c'est moi qui vais acheter le cadeau.

À bientôt,

Marianne

	Vrai	Faux	Non précisé
1. Ce mail date du 24 juin.	❑	❑	❑
2. Floriane quittera définitivement l'entreprise un vendredi.	❑	❑	❑
3. Floriane prend sa retraite.	❑	❑	❑
4. Le pot de départ aura lieu dans un restaurant.	❑	❑	❑
5. Camille est invitée au pot de départ.	❑	❑	❑
6. Marianne a suggéré le type de cadeau à acheter.	❑	❑	❑
7. Jean-Marc et Marianne collectent l'argent pour le cadeau.	❑	❑	❑
8. Jean-Marc sera présent au pot de départ.	❑	❑	❑

C. EXPRESSION ÉCRITE

Aujourd'hui, vous n'êtes pas au travail parce que vous êtes malade. Caroline, une collègue de travail, vous envoie le message suivant.

> Il paraît que tu es malade. Qu'est-ce qui se passe ? Qu'est-ce que tu fais toute la journée ? Quand est-ce que tu reviens au bureau ?
>
> Caroline

Vous répondez à Caroline :

- Remerciez Caroline pour son message.
- Donnez quelques détails sur votre maladie. Dites ce que vous faites.
- Dites combien de temps vous serez absent(e) au travail.
- Posez une question concernant le travail.

Écrivez 30-45 mots.

....
....
....
....
....
....
....

C. EXPRESSION ORALE

❶ Votre patron, un Français, part en voyage d'affaires. Il doit rester trois jours dans la capitale économique de votre pays. Vous devez lui réserver une chambre dans un bon hôtel.

Pour vous, qu'est-ce qu'un bon hôtel ?
- **Localisation.**
- **Coût.**
- **Services.**

❷ Vous recevez un visiteur français dans votre ville. Vous devez faire avec lui une visite de la ville, de 14 heures à 21 heures.

Quel programme proposez-vous ?
- **Monuments.**
- **Promenades.**
- **Restaurant.**

Dans chaque cas, parlez de 1 à 2 minutes.

ENTRAÎNEMENT
DELF PRO A2

A. COMPRÉHENSION ORALE

1. Vous organisez une réunion dans un hôtel.

Vous allez entendre un message de la responsable de votre service. Elle vous donne des instructions sur l'organisation de cette réunion.

Lisez les consignes suivantes, écoutez, puis complétez le formulaire ci-dessous.

Écoutez deux fois.

RÉUNION TECHNIQUE

Lieu : **Hôtel du Globe**

Date : ....   Horaires : ....

Déjeuner : ❏ oui ❏ non ....   Prix du déjeuner : .... €

Salle : ....   au .... étage

---

2. Vous participez à une réunion.

L'ordre du jour comprend six points. Vous allez entendre six courts dialogues extraits de cette réunion.

Lisez, écoutez, puis indiquez à quel point de l'ordre du jour se rapporte chaque dialogue. La solution est donnée pour le dialogue 1.

Écoutez deux fois.

	Ordre du jour
1 b	**a.** Communication interne.
2 ...	**b.** *Période de congés.*
3 ...	**c.** Frais de transport.
4 ...	**d.** Résultat des ventes.
5 ...	**e.** Sécurité.
6 ...	**f.** Restauration.

🎧 3. Vous visitez une usine.

Avec des collègues de travail, vous visitez l'usine d'Électra, un fabricant de composants électroniques.

Vous allez entendre le discours de bienvenue.

Lisez les questions, écoutez, puis répondez.

Écoutez deux fois.

❶ Le film de présentation de l'usine dure environ :

a. 10 minutes.

b. 15 minutes.

c. 20 minutes.

❷ À Cette usine est en service depuis .... ans.

❸ Électra emploie .... personnes.

❹ La visite de l'usine dure environ :

a. 1 heure.

b. 1 heure 30.

c. 2 heures.

❺ À quelle heure se termine la visite ?

a. À 11 heures.

b. À midi.

c. Non précisé.

❻ Finalement, quel est le programme ? Mettez dans l'ordre chronologique.

a. Question   ...

b. Film   ...

c. Visite de l'usine   ...

d. Retour dans la salle   4

🎧 4. Vous avez un message

Vous allez entendre un message de Clara, une collègue de travail, concernant une réunion avec Paul Vial, le responsable de la sécurité.

Lisez les questions, écoutez, puis répondez.

Écoutez deux fois.

❶ La réunion est fixée à :

a. lundi.

b. mardi.

c. jeudi.

❷ À :

a. 14 h 00.

b. 15 h 00.

c. 16 h 00.

❸ Dans la salle ....

❹ Combien de personnes assisteront à la réunion ?

a. 2.

b. 3.

c. 4.

❺ Quel est le numéro de téléphone de monsieur Vial ? Complétez.

04 47 70 ....

❻ Quelle est son adresse électronique ?

a. paulvial@km3.com

b. paul.vial@km3.com

c. p.vial@km3.com

B. COMPRÉHENSION DES ÉCRITS

1 **Vous lisez votre courrier.**

Les phrases suivantes sont extraites de différents courriers d'entreprise.

Indiquez sous chaque phrase l'objectif de chaque courrier.

La solution est donnée pour la première phrase.

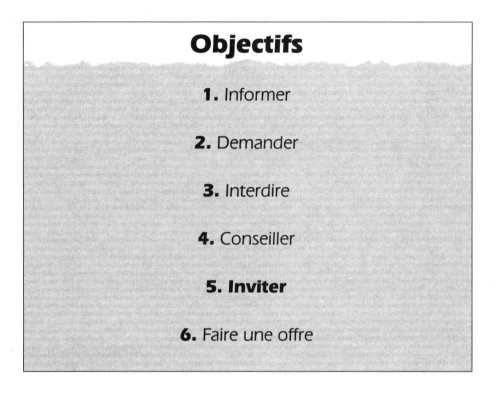

Objectifs

1. Informer

2. Demander

3. Interdire

4. Conseiller

5. Inviter

6. Faire une offre

a. Le groupe Bossard a le plaisir de vous inviter à une conférence-débat le mardi 30 novembre 2015 sur le développement durable.

→ **N° 5**

b. Pouvez-vous m'envoyer votre brochure ?

→ N° ....

c. Je vous informe que madame Simonin dînera et prendra son petit-déjeuner à l'hôtel.

→ N° ....

d. Vous n'êtes pas autorisé à utiliser ce document.

→ N° ....

e. Nous vous proposons ce produit à un prix particulièrement intéressant.

→ N° ....

f. Tu devrais parler de ton problème à madame Tissier.

→ N° ....

2 Vous avez reçu cette note de service concernant une formation.

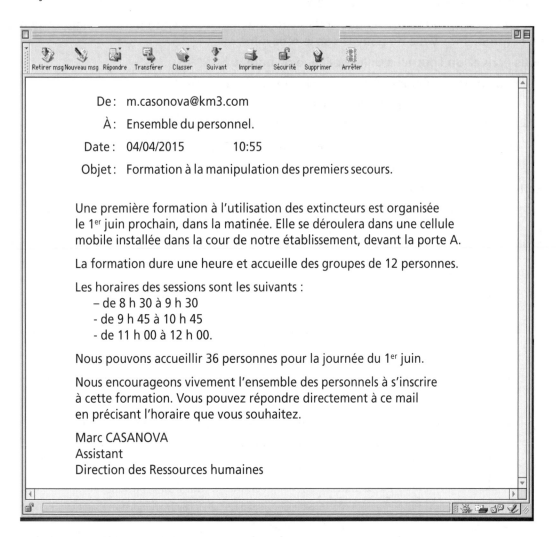

De : m.casonova@km3.com

À : Ensemble du personnel.

Date : 04/04/2015   10:55

Objet : Formation à la manipulation des premiers secours.

Une première formation à l'utilisation des extincteurs est organisée le 1er juin prochain, dans la matinée. Elle se déroulera dans une cellule mobile installée dans la cour de notre établissement, devant la porte A.

La formation dure une heure et accueille des groupes de 12 personnes.

Les horaires des sessions sont les suivants :
– de 8 h 30 à 9 h 30
- de 9 h 45 à 10 h 45
- de 11 h 00 à 12 h 00.

Nous pouvons accueillir 36 personnes pour la journée du 1er juin.

Nous encourageons vivement l'ensemble des personnels à s'inscrire à cette formation. Vous pouvez répondre directement à ce mail en précisant l'horaire que vous souhaitez.

Marc CASANOVA
Assistant
Direction des Ressources humaines

Vous voulez participer à la formation. Que devez-vous faire ?
Cochez (☑) deux réponses.

a. Envoyer une lettre. ❏

b. Choisir un horaire. ❏

c. Compléter un formulaire. ❏

d. Envoyer un courriel. ❏

e. Prendre un jour de congé le 1er juin. ❏

f. Demander l'autorisation à la Direction. ❏

C. PRODUCTION ÉCRITE

Cet après-midi, vous avez rendez-vous avec un client dans votre bureau. Mais vous avez un empêche-ment (problème). Vous ne pouvez pas le recevoir.

Vous écrivez un courriel à un(e) collègue de bureau :

– Expliquez la situation. Dites à quelle heure vient le client.

– Dites pourquoi vous ne pouvez pas recevoir le client.

– Demandez à votre collègue de recevoir le client à votre place.

– Donnez une ou deux informations sur le client. Expliquez pourquoi il vient.

– Remerciez votre collègue.

Écrivez environ 50 mots.

....

....

....

....

....

....

....

....

....

....

....

....

....

....

....

....

....

....

D. PRODUCTION ET INTERACTION ORALES

Jouez à deux.

Intervertissez le rôle du responsable.

❶ Vous ne pouvez pas assister à la réunion de demain. Vous en parlez à votre responsable et vous expliquez pourquoi.

❷ Vous voulez changer de bureau. Vous en parlez à votre responsable et vous expliquez pourquoi.

Pour chaque situation, parlez environ 3 minutes.

TRANSCRIPTION DES ENREGISTREMENTS
DFP A2 – DELF PRO A2

DFP A2 (CCIP)

Partie 1

1. Allô… Je suis tout près, je viens de sortir du métro… Je suis devant la poste… Devant la poste, je te dis… Il pleut des cordes, je vais arriver trempée… Il pleut, je te dis, je n'ai pas de parapluie… Je suis là dans cinq minutes, à tout de suite.

2. Allô !… Non, non, pas du tout, j'attends mon train… Je suis sur le quai… À Bruxelles, pour la réunion avec Bernardin…. Oui, c'est possible, le train a déjà dix minutes de retard… Entendu, pas de problème, à demain.

3. Salut, Michel… Je suis encore sur l'autoroute…. Désolé, il y a un embouteillage monstre, je crois qu'il y a un accident… Non, non, ce n'est pas la peine de m'attendre, vous n'avez qu'à commencer sans moi… Pardon ?… Quitter l'autoroute ? Non, non, ça va se dégager, à tout à l'heure.

4. Allô, oui !… Non, non, je suis chez moi… Comment ça « déjà », tu sais l'heure qu'il est ?… Je suis devant la télé… Les infos… Oui, je sais. Tu as reçu mon mail ?

5. Allô !… Ah, madame Serin !… Oui, oui… Merci… L'avion part dans une heure… L'arrivée est prévue à 10 heures… Heure locale, oui, oui… Entendu, je vous appelle demain… Merci encore, à demain.

6. Allô, oui… Bonjour, madame Lefort… Très bien, merci, et vous ?… Oui, oui, je viens d'arriver… C'est parfait… La chambre est très spacieuse, calme, tout à fait comme il faut… À la réception ?…. Dans une heure, entendu, il n'y a pas de problème… D'accord, nous disons donc à 18 heures à la réception…

7. Oui, allô…. Ah, oui, bien sûr. Écoute, je suis chez Georges… Je peux te rappeler ?… Dans une demi-heure ?... On en est au dessert… Au dessert, je te dis… Quoi ?… Un gâteau au chocolat… D'accord… Oui, oui, je te rappelle.

Partie 2

1. Dans une gare : Quai numéro 2, voie 4. Le train TER numéro 72 342 à destination de Brive va partir. Prenez garde à la fermeture des portes. Attention au départ.

2. Résultats d'entreprise : Comme vous pouvez le voir sur ce graphique, notre chiffre d'affaires a fortement augmenté cette année. Toutefois, le bénéfice n'a pas suivi la même progression puisqu'il a baissé de près de 5 %. Je vous renvoie à la page 7 de votre document, en haut de la page, sous le tableau, bénéfice en baisse de 4,8 %.

3. Répondeur téléphonique : Bienvenue au magasin Aubert, nous allons donner suite à votre appel, merci de patienter. Notre magasin est situé au 87 rue Victor Hugo. Il est ouvert du mardi au samedi de 10 h à 20 h.

4. Fin de réunion : Il nous reste à fixer la date de notre prochaine réunion. Je propose le mardi 12… euh… non, excusez-moi, le… euh 11 octobre, oui, c'est ça, le mardi 11 octobre à 10 heures. Quelqu'un a-t-il un empêchement ce jour-là ? Non ? Pas de problème ? Je vous enverrai l'ordre du jour.

Partie 3

Conversation 1
– On m'a dit que vous étiez espagnol.
– Pardon ?
– On m'a dit que vous étiez espagnol.
– Espagnol ! Non, pas du tout, je suis italien.
– Ah bon, vous êtes italien ?
– Oui, mais je vis en Suisse depuis 10 ans.
– C'est compliqué.
– Vous trouvez ?

Conversation 2
– Excusez-moi, nous sommes bien au troisième étage ?
– Non, ici, c'est le deuxième.
– Le deuxième ?
– Oui, vous cherchez quelqu'un ?
– Je cherche le bureau de madame Simon.

– Catherine Simon ?
– Euh... oui, je crois.
– Son bureau est au quatrième étage.
– Vous êtes sûre ?
– Absolument, au quatrième, en face de l'ascenseur.

Conversation 3

– Alors, il paraît que tu veux démissionner.
– C'est vrai, qui t'a dit ça ?
– La rumeur. C'est vrai que le patron n'est pas facile.
– Oui, pas facile, mais je l'aime bien, il n'est pas méchant. Ce que je ne supporte plus, ce sont les horaires qui changent sans arrêt.
– Oui, pour moi aussi, les horaires de travail, c'est un gros problème. Mais l'ambiance de travail est bonne, tu ne trouves pas ?
– Oui, c'est vrai, on s'entend tous plutôt bien.
– On ne peut pas tout avoir.

Conversation 4

– Bonjour, Thomas. Je voudrais réserver une salle pour la réunion de jeudi matin.
– À quelle heure ?
– À 9 heures, c'est pour toute la matinée. Est-ce que la 202 est libre ?
– Attends, je regarde… Non, désolé, elle est occupée. Il reste la 203 et la 204.
– La 203 est trop petite. Je vais prendre la 204.
– Entendu, je te réserve la 204 tout de suite.

Conversation 5

– Léa, vous pouvez changer l'heure de mon vol pour Madrid ? Je dois voir Duval avant de partir, il vient à 14 heures. Est-ce qu'il y a un vol dans la soirée ?
– Le prochain vol est à 17 h 30, est-ce que ça irait ?
– 17 h 30, vous dites ?
– Oui, c'est ça.
– Il arrive à quelle heure ?
– À 19 h 40.
– C'est parfait.

Conversation 6

– Il y a encore un problème avec le photocopieur.
– Qu'est-ce que c'est ?
– Un bourrage de papier. Il ne faut pas utiliser de feuilles A3.
– Tu veux que j'appelle le technicien ?
– Non, c'est pas la peine, je vois le problème, je vais réparer ça toute seule.
– Si tu veux, je peux faire une affiche pour dire qu'il ne faut pas utiliser de feuille A3.
– Bonne idée.

Conversation 7

– Le comptable a appelé, il voudrait savoir quand il peut venir, il propose lundi ou mardi.
– Le mieux serait mercredi.

– Mercredi, il ne peut pas.
– Bon, mardi alors.
– À quelle heure, mardi ?
– À 9 heures.

Partie 4

– Bonjour, monsieur Lambert.
– Bonjour.
– Vous venez de suivre une formation sur la communication commerciale.
– C'est exact, une formation d'une journée, la semaine dernière.
– C'était une formation obligatoire, je crois.
– Non, pas du tout.
– C'est-à-dire ?
– C'est moi qui ai demandé à suivre la formation, elle n'était pas obligatoire du tout.
– Où a eu lieu la formation ?
– Dans les locaux du centre de formation.
– À Paris ?
– Oui, oui, à côté d'ici, en fait.
– Vous étiez nombreux ?
– Pardon ?
– Vous étiez nombreux à suivre cette formation ?
– Nous étions un petit groupe de cinq personnes, trois hommes et deux femmes.
– Trois hommes et…
– Trois hommes et deux femmes.
– De la même entreprise ?
– Non, nous venions de cinq entreprises différentes.
– Vous étiez donc cinq participants provenant de cinq entreprises différentes.
– C'est ça.
– À quelle heure a commencé la journée ?
– À 9 heures.
– Jusqu'à ?
– Jusqu'à 17 heures. De 9 heures à 17 h 00.
– Pas de pause ?
– Si, quand même, nous avons fait une pause d'une heure pour le déjeuner.
– Et vous êtes satisfait ?
– De la formation ?
– Oui.
– Oui, très content. Le formateur était très compétent et le groupe très dynamique.
– Quelle partie de la journée avez-vous préférée ?
– J'ai bien aimé la dernière partie sur la négociation, je crois que ça va beaucoup m'aider dans mon travail.
– Et le reste ?
– Le reste aussi était très intéressant.
– En conclusion, si je comprends bien, vous recommanderiez cette formation.
– Oui, sans hésiter.

DELF Pro A2

Pour la réunion technique, ce sera le 27 mars, le lundi 27 mars. J'ai appelé l'hôtel du Globe et j'ai réservé une salle de 9 heures à 13 heures. Pour le déjeuner, c'est d'accord, j'ai réussi à négocier un prix correct, ça nous fera un menu à 23 euros par personne, vin compris. Je vais vous envoyer la liste des participants avec les adresses mail et les numéros de téléphone. Merci de prévenir tout le monde. La salle peut contenir 25 personnes, ce sera largement suffisant. Précisez que c'est la salle Azur, c'est le nom de la salle, A, Z, U, R, au premier étage. Voilà, donc, si je résume, le 27 mars, 9 h 00-13 h 00, salle Azur, au premier. À bientôt.

2. Vous participez à une réunion.

Dialogue 1
– Cette année, nous fermerons en août, pendant trois semaines, du 5 au 25 août.
– Donc, si je comprends bien, on n'aura pas le choix.
– Exact, tout le monde sera en vacances pendant cette période.

Dialogue 2
– Comme vous le savez, il y a encore eu un accident dans l'atelier bleu. C'est le troisième accident en trois mois.
– Pourtant, il y a des consignes très strictes.
– Le problème, c'est que ces consignes ne sont pas respectées.
– J'ai envoyé une note le mois dernier pour rappeler que les combinaisons de protection sont obligatoires. La note est affichée dans tous les ateliers.
– Oui, les gars savent ça, ils savent aussi que le travail est dangereux, mais ils disent que les combinaisons sont trop lourdes.
– Écoutez, je ne veux rien savoir, je ne veux plus d'accident.

Dialogue 3
– En fait, les plats sont toujours les mêmes, il n'y a aucune variété, on a des réclamations tous les jours.
– Parce que ce n'est pas assez varié ?
– Pas seulement.
– Pas seulement ?
– Un jour, le poisson n'est pas frais. Un autre jour, les frites sont froides ou alors, il n'y a pas assez de pain. Bref, tous les jours, il y a quelque chose.

Dialogue 4
– La conclusion de tout ça, c'est qu'il n'y a pas assez d'échanges entre les services, l'information ne circule pas ou pas assez, chacun reste dans son coin. Maintenant, la question est de savoir comment favoriser les échanges.
– Oui, comment ?
– Le rapport propose plusieurs pistes : enrichir le journal de l'entreprise, organiser des réunions mensuelles, installer une boîte à idées…

– Une boîte à idées ?
– Oui, une boîte où chacun mettrait ses idées, ses suggestions.

Dialogue 5
– Quelle est la situation de ceux qui viennent en voiture ?
– En voiture ?
– Oui, qu'est-ce que paie l'entreprise dans ce cas ? Est-ce qu'on rembourse les frais d'essence ?
– Nous remboursons 50 % des frais d'essence.
– L'essence a beaucoup augmenté ces derniers temps.
– Oui, et alors ?
– Est-ce qu'on pourrait aller jusqu'à 70 % ?
– Écoutez, ceux qui trouvent l'essence trop chère n'ont qu'à prendre le train.

Dialogue 6
– Comme vous le voyez sur ce graphique, notre chiffre d'affaires a fortement progressé par rapport à l'année dernière.
– Est-ce que le PC20 continue de se vendre ?
– Absolument, c'est même notre produit phare, de très loin, avec 48 000 unités vendus cette année.

3. Vous visitez une usine.

Bonjour à toutes et à tous, bienvenue chez Électra. Je m'appelle Manon Garcia, je suis chargée de communication et c'est moi qui vais vous accompagner pendant cette matinée. Pour commencer, avant de visiter l'usine, je vous propose de visionner un film. C'est un petit film de 10 minutes, environ 10 minutes, qui vous présente Électra, son histoire, son activité. Après le visionnage, je répondrai à vos questions, si vous en avez, mais je pense que vous aurez des questions. Ensuite, nous traverserons la cour pour aller à l'usine. C'est une usine très moderne, elle est en service depuis deux ans, seulement deux ans. Le site de s'étend sur huit hectares. Électra emploie 160 personnes, ouvriers, techniciens, ingénieurs. Vous verrez par vous-mêmes que l'organisation et les conditions de travail sont tout à fait exceptionnelles, tout comme les méthodes de production. La visite de l'usine nous prendra environ une heure et demie. Après la visite, nous reviendrons dans cette salle. Voilà. Si vous voulez, vous pouvez laisser vos affaires ici, l'endroit est tout à fait sûr.

4. Vous avez un message.

Bonjour, c'est Clara à l'appareil. J'ai finalement réussi à joindre Paul Vial. J'ai pris rendez-vous et bon, alors, on doit se voir jeudi prochain à 15 heures. J'ai réservé la salle 102. Je lui ai dit que tu viendrais, on sera donc trois, toi, lui et moi. Si tu as des questions avant la réunion, tu peux l'appeler directement ou lui envoyer un mail. Tu peux le joindre au 04 47 70 10 88. Je répète : 04 47 70 10 88. Son mail, c'est p.vial, arobase, km3.com. Bon, allez, n'oublie pas, jeudi 15 h 00 dans la 102. À bientôt.

Lexique

 Premiers contacts

1. Premiers mots

au revoir ....

un avion ....

bonjour ....

merci ....

monsieur ....

un mot ....

pardon ....

qu'est-ce que c'est ? ....

s'il vous plaît ....

une valise ....

voilà un ticket ....

une voiture ....

un voyageur ....

un, deux, trois ....

treize, quatorze ....

quatre, cinq, six ....

dix-sept, dix-huit ....

dix, onze, douze ....

sept, huit, neuf ....

quinze, seize ....

complétez ....

consultez ....

écoutez ....

écrivez ....

répétez ....

....

....

2. Bonjour, je m'appelle...

allemand ....

chinois ....

espagnol ....

français ....

je m'appelle ....

j'ai 20 ans ....

être ....

un(e) étudiant(e) ....

habiter ....

une langue ....

oui/non ....

parler ....

trente, quarante ....

cinquante, soixante ....

soixante-dix ....

quatre-vingt ....

quatre-vingt-dix ....

....

....

3. Ça va, et vous ?

aller ....

ça va bien ....

enchanté ....

excusez-moi ....

un instant ....

madame ....

un nom ....

épeler ....

vous pouvez épeler ? ....

qui est-ce ? ....

salut ....

....

....

4. Vous travaillez où ?

un(e) avocat(e) ....

bien sûr ....

chez Michelin ....

un(e) collègue ....

un(e) comptable ....

connaître ....

une entreprise ....

qu'est-ce qu'il fait ? ....

une librairie ....

un livre ....

un meuble ....

un montre ....

un ordinateur ....

où ....

un stylo ....

travailler ....

un vendeur ....

vendre ....

....

....

5. Adresse, téléphone, mail

une adresse ....

un carte de visite ....

un code postal ....

un directeur ....

un numéro de téléphone .. ..

un pays ....

une personne ....

le personnel ....

un prénom ....

un professeur ....

un renseignement ....

une rue ....

un(e) salarié(e) ....

une société ....

un travail ....

une ville ....

....

....

② Objets

1. Objets utiles

un appareil photo ....

arrêter ....

un billet d'avion ....

une boîte ....

une carte bancaire ....

chercher ....

choisir ....

des ciseaux ....

une clé ....

une cuillère ....

un journal ....

des lunettes ....

un mal de tête ....

manger ....

ouvrir ....

une pièce (de monnaie) ....

une poche ....

une porte ....

un portefeuille ....

poster (une lettre) ....

pourquoi ....

prendre ....

quelque chose ....

régler (un achat) ....

un rendez-vous ....

un sac (en cuir) ....

une tasse ....

un téléphone portable ....

un timbre ....

trouver ....

un verre ....

un vin ....

voyager ....

....

....

2. Avoir ou ne pas avoir

acheter ....

aimer ....

l'argent ....

cher ....

un(e) client(e) ....

combien ....

un costume ....

coûter ....

une cravate ....

donner ....

entrer ....

gros ....

heureux ....

poser une question ....

un prix ....

un vélo ....

un vêtement ....

cent, mille ....

....

....

3. Objets ici et là

un bureau ....

une chaise ....

un chapeau ....

un crayon ....

à droite ....

une étagère ....

une feuille (de papier) ....

des gants ....

à gauche ....

il y a ....

une imprimante ....

sur ....

sous ....

par terre ....

un parapluie ....

regardez ....

un tiroir ....

une veste ....

....

....

4. Objets comme ça

beau (belle) ....

blanc/noir ....

bleu/vert ....

jaune/rouge ....

bon ≠ mauvais ....

bruyant ≠ tranquille ....

grand ≠ petit ....

froid ≠ chaud ....

long ≠ court ....

épais ≠ mince ....

lent ≠ rapide...................... ....

léger ≠ lourd ....

une maison...................... ....

il manque le toit ....

la neige ....

neuf/nouveau...................... ....

ouvert ≠ fermé ....

grand ≠ petit ....

plein ≠ vide ....

un problème ....

une réponse...................... ....

....

....

5. Qu'est-ce que vous préférez ?

avoir besoin de ....

bon marché ....

une chaîne (TV) ....

efficace ....

ensemble ....

des gens ....

intéressant ....

un magasin ....

moderne ....

pratique ....

précis...................... ....

préférer ....

....

....

③ Emploi du temps

1. Quelle heure est-il ?

une année...................... ....

un jour...................... ....

un matin...................... ....

un après-midi ....

commencer ....

demander ....

durer ....

un endroit ....

environ.......................... ....

finir............................... ....

une gare........................ ....

un horaire...................... ....

midi............................... ....

minuit............................ ....

un mois......................... ....

un moment ....

quelle heure est-il?.......... ....

se reposer..................... ....

une réunion.................... ....

je suis sûr ....

se terminer.................... ....

....

....

2. Journée de travail

arrêter ....

célibataire ....

se coucher..................... ....

déjeuner........................ ....

dîner............................. ....

dormir ....

se doucher..................... ....

de l'eau......................... ....

faux.............................. ....

femme........................... ....

s'habiller ....

un jeu (vidéo) ....

jusqu'à.......................... ....

se lever ....

un petit déjeuner............. ....

se réveiller ....

un soir........................... ....

sortir ....

tard ....

tôt ....

vrai............................... ....

....

....

3. Habitudes

à l'étranger ....

apporter........................ ....

assister à (une réunion) ....

avec ....

une école ....

un enfant....................... ....

expliquer....................... ....

fatigué.......................... ....

une habitude.................. ....

un mari.......................... ....

un patron ....

je suis pressé(e) ....

quitter ....

rencontrer ....

rester ....

le service des achats........ ....

un supermarché.............. ....

des vacances ....

un(e) voisin(e)................. ....

....

....

4. Mois et saisons

un anniversaire ....

un climat........................ ....

un congé........................ ....

une date........................ ....

un jour férié................... ....

humide.......................... ....

la mer............................ ....

la montagne................... ....

je suis né(e)................... ....

neiger............................ ....

un nuage........................ ....

partir ....

passer (du temps)............ ....

pleuvoir......................... ....

le soleil.......................... ....

quel temps fait-il? ....

triste............................. ....

....

....

5. Rendez-vous

bientôt ....

la campagne ....

d'accord ....

un début ....

désolé ....

dire......................... ....

un emploi du temps........... ....

une famille ....

une fin......................... ....

l'informatique..................... ....

un lieu......................... ....

maintenant..................... ....

parfait ....

pouvoir......................... ....

prochain......................... ....

proposer ....

refuser......................... ....

rencontrer ....

une semaine ....

urgent ....

venir......................... ....

se voir......................... ....

....

....

④ Voyage

1. À l'hôtel

une baignoire..................... ....

un centre-ville..................... ....

complet......................... ....

un départ ....

payer en espèces ....

un jardin......................... ....

un lit......................... ....

une note d'hôtel ....

une nuit......................... ....

une pièce d'identité ....

une piscine ....

un quartier ....

réserver une chambre........ ....

une salle de réunion ....

une salle de bain ....

serviable ....

souriant......................... ....

....

....

2. Itinéraire

un ascenseur..................... ....

continuer......................... ....

un couloir......................... ....

une erreur ....

oublier......................... ....

un plan (de la ville)........... ....

se rendre (quelque part) ....

où est la sortie ? ....

une station de métro ....

suivre ....

allez tout droit..................... ....

traverser ....

un trottoir......................... ....

....

....

3. Déplacements professionnels

une banlieue ....

une carte......................... ....

combien de temps ? ....

comment ....

se déplacer......................... ....

un embouteillage ....

un entrepôt ....

à pied......................... ....

prendre l'avion..................... ....

un trajet ....

se trouver......................... ....

une usine ....

visiter ....

vivre ....   se promener ....

....   propre ....

....   prudent ....

4. Conseils au voyageur

		se rappeler	....
s'asseoir	....	une règle..........................	....
à mon avis	....	se renseigner	....
boire..........................	....	le transport public	....
un château..........................	....	un voleur..........................	....
une chaussure	....	....	....
conduire..........................	....	....	....

dangereux..........................   ....

5. Prendre le train

se débrouiller..................	....	un aller simple	....
dehors	....	un aller retour	....
enlever	....	s'arrêter	....
fumer	....	demain..........................	....
goûter	....	embrasser..........................	....
s'habituer..........................	....	un guichet..........................	....
interdire..........................	....	passer par..........................	....
jeter..........................	....	un quai..........................	....
louer..........................	....	une voie	....
marcher	....	....	....
payer..........................	....	....	....
un piéton..........................	....		

5 Travail

1. Déjeuner d'affaires

		un fromage	....
à partir de	....	un gâteau..........................	....
une addition..........................	....	une glace	....
une assiette	....	une huile	....
aujourd'hui..........................	....	un légume..........................	....
une boisson	....	des pâtes	....
une bouteille..........................	....	une poire..........................	....
un canard..........................	....	un poisson	....
une casserole	....	le riz	....
de la charcuterie..............	....	le sel	....
un choix..........................	....	un serveur..........................	....
commander	....	service compris	....
un dessert..........................	....	une viande	....
essayer	....	....	....
une frite..........................	....	....	....

2. Appel téléphonique

appeler.......................... ....

compter sur ....

joindre.......................... ....

laisser un message........... ....

partager ....

je vous passe Paul........... ....

répondre ....

Je suis bien chez Paul ? ... .

Je voudrais parler à Paul... ....

Je rappellerai plus tard. ....

C'est de la part de qui ? ... .

C'est à quel sujet ? ....

Je voudrais une information. ....

Un instant, s'il vous plaît. .. ..

Ne quittez pas. ....

....

....

3. Expérience professionnelle

français courant................ ....

un curriculum vitae ....

un entretien d'embauche... ....

envoyer..................... ....

à l'étranger ....

étudier ....

une expérience................ ....

gagner une course........... ....

gagner de l'argent ....

une lettre de motivation..... ....

négocier..................... ....

une offre d'emploi........... ....

perdre ....

rechercher ....

un salaire ....

savoir..................... ....

....

....

4. Une année au travail

un an.......................... ....

construire...................... ....

créer ....

démissionner ....

détester ....

devenir..................... ....

une école de commerce.... ....

un ingénieur..................... ....

un fils/une fille.................. ....

gentil..................... ....

jeune..................... ....

joli..................... ....

louer..................... ....

obtenir ....

un poste..................... ....

une promesse..................... ....

quitter ....

quoi de neuf ? ....

quoi encore ?..................... ....

raconter ....

recevoir ....

prendre sa retraite ....

réussir..................... ....

satisfait ....

faire un stage..................... ....

tôt ....

....

....

5. Courrier électronique

un banquier ....

faire confiance à ....

être obligé de..................... ....

offrir ....

une pièce jointe (PJ) ....

plaire..................... ....

je vous prie de ....

remercier..................... ....

résultat..................... ....

supprimer ....

un coup de téléphone ....

traduire ....

....

....

6 Problèmes

1. Qu'est-ce qui ne va pas?

au sujet de ....

cacher ....

je suis déçu ....

distrait ....

j'ai du mal à ....

en ce moment ....

être occupé ....

être pris ....

recruter ....

réfléchir ....

remplacer ....

les ressources humaines ... .

ça ne sert à rien ....

sourd ....

....

....

ça dépend ....

je te dérange? ....

détruire ....

un disque dur ....

un écran ....

embêtant ....

éteindre ....

formater ....

formidable ....

imprimer ....

un mot de passe ....

nettoyer ....

une souris ....

une touche ....

....

....

2. Contretemps

absent ....

annuler un rendez-vous ....

avancer ....

reporter ....

une chance ....

un changement ....

se disputer ....

s'énerver ....

se précipiter ....

rater (un avion) ....

être en retard ....

une route ....

une salle de bains ....

tout de suite ....

se tromper de ....

....

....

3. Problèmes informatiques

un(e) ami(e) ....

apporter ....

appuyer ....

bizarre ....

bouger ....

un clavier ....

4. Bricolage

une ampoule grillée ....

se calmer ....

casser ....

avoir chaud ....

couper ....

se dépêcher ....

descendre ....

une fenêtre ....

un fil électrique ....

insister ....

laisser tomber ....

une lumière ....

une main ....

un plafond ....

poser ....

pousser ....

une table ....

tenir ....

tirer ....

un tournevis ....

visser ....

....

....

5. Qu'est-ce que vous suggérez?

un bruit ....

un compte en banque ....
une fièvre ....
un médecin ....
avoir peur ....
réfléchir ....
se sentir ....

stressé ....
suggérer ....
tousser ....
une vérité ....
....
....

7 Tranches de vie

1. Petits boulots

un petit boulot ....
coléreux ....
content ....
un(e) employé(e) ....
se fâcher ....
insulter ....
maigre ....
une personne âgée ....
avoir peur ....
un pourboire ....
une prime ....
sourire ....
se souvenir ....
une tâche ....
....

2. Faits divers

une colère ....
convaincre ....
dépenser ....
une dette ....
devoir (de l'argent) ....
en échange ....
s'entendre avec qqn ....
avoir lieu ....
s'occuper de ....
tomber en panne ....
rembourser ....
....

3. Une belle carrière

décider ....
diriger ....

fabriquer ....
garder ....
une grève ....
produire ....
un voyage d'affaires ....
....

4. Moments de stress

un chef d'entreprise ....
crier ....
une échelle ....
empêcher de ....
gérer ....
un impôt ....
licencier ....
un ouvrier ....
partout ....
réclamer ....
....

5. Demain sera un autre jour

le chômage ....
un chômeur ....
comme convenu ....
dès que possible ....
discuter ....
faire des heures supplémentaires ....
s'inquiéter ....
le lendemain ....
paresseux ....
être prêt ....
promettre ....
....

N° d'éditeur : 10232076
Achevé d'imprimer en décembre 2016 en Italie par 🦅 Grafica Veneta S.p.A.